CÓRKA

Tej autorki:

Elena
FERRANTE
CÓRKA

Z języka włoskiego przełożyła
Lucyna Rodziewicz-Doktór

WYDAWNICTWO
SONIA DRAGA

Tytuł oryginału:
LA FIGLIA OSCURA

Copyright © 2006 by Edizioni e/o
Copyright © 2017 for the Polish edition by Wydawnictwo Sonia Draga
Copyright © 2017 for the Polish translation by Wydawnictwo Sonia Draga

Projekt graficzny okładki: Mariusz Banachowicz

Redakcja: Jolanta Olejniczak-Kulan
Korekta: Małgorzata Hordyńska, Iwona Wyrwisz, Aleksandra Mól

ISBN: 978-83-8110-150-9

WYDAWNICTWO SONIA DRAGA Sp. z o.o.
ul. Fitelberga 1, 40-588 Katowice
tel. 32 782 64 77, fax 32 253 77 28
e-mail: info@soniadraga.pl
www.soniadraga.pl
www.facebook.com/wydawnictwoSoniaDraga

Skład i łamanie: Wydawnictwo Sonia Draga

Katowice 2017 (N1017)

Książkę wydrukowano na papierze LUX CREAM 80g,
vol. 1,8 dostarczonym przez Zing sp. z o.o.
ZiNG
www.zing.com.pl

1.

Po niecałej godzinie jazdy poczułam się źle. Znowu pojawiło się pieczenie w boku, postanowiłam jednak je zignorować. Zaniepokoiłam się dopiero, gdy nie miałam już sił, by utrzymać kierownicę. W ciągu kilku minut moja głowa zrobiła się ciężka, światła się rozmyły i zapomniałam, że prowadzę. Zdawało mi się, że to środek dnia, a ja znajduję się nad morzem. Plaża jest pusta, woda spokojna, tylko na maszcie, kilka metrów od brzegu, powiewa czerwona flaga. Kiedy byłam mała, moja matka nastraszyła mnie: Leda, nie wolno ci się kąpać przy czerwonej fladze, bo ona oznacza, że morze jest wzburzone i możesz się utopić. Obawa przetrwała przez lata i nawet teraz, choć powierzchnia przypomina przeźroczystą folię rozciągniętą aż po horyzont, nie mam odwagi się zanurzyć, boję się. Powtarzam sobie: idź, wykąp się, pewnie zapomnieli opuścić flagę, mimo to dalej stoję na brzegu i czubkiem palca ostrożnie badam wodę. Co jakiś czas na wydmach pojawia się moja matka i woła do mnie, jakbym nadal była dzieckiem: Leda, co robisz, nie widzisz czerwonej flagi?

Kiedy w szpitalu otworzyłam oczy, przez ułamek sekundy widziałam przed sobą płaskie morze. Pewnie dlatego zrodziło się we mnie przekonanie, że to nie był sen, lecz ostrzegawcze omamy, które trwały aż do chwili ocknięcia się. Lekarze powiedzieli mi, że mój samochód uderzył w barierę, ja jednak nie odniosłam większych obrażeń. Miałam tylko jedną poważną ranę w lewym boku, niejasnego pochodzenia.

Odwiedzili mnie znajomi z Florencji, wróciły Bianca i Marta, pojawił się nawet Gianni. Wszystkim mówiłam, że zjechałam z drogi, bo zasnęłam. Ale dobrze wiedziałam, że to nie z powodu snu. Winny był mój bezsensowny czyn, o którym dlatego, że był właśnie taki, postanowiłam z nikim nie rozmawiać. Najtrudniej opowiedzieć o tym, czego sami nie potrafimy zrozumieć.

2.

Kiedy moje córki przeniosły się do Toronto, gdzie od lat mieszka i pracuje ich ojciec, ze zdziwieniem, ale i z zażenowaniem odkryłam, że nie odczuwam żadnego bólu, co więcej, jest mi tak lekko, jakbym dopiero teraz wydała je na świat. Po raz pierwszy od prawie dwudziestu pięciu lat opuścił mnie niepokój związany z troską o nie. W mieszkaniu panował porządek, jakby nikt w nim nie przebywał, nie musiałam się już martwić o zakupy czy pranie, kobieta, która przez lata pomagała mi w prowadzeniu domu, znalazła lepiej płatną pracę, a ja nie czułam potrzeby, by ją zastąpić kimś innym.

Jedynym obowiązkiem związanym z dziewczętami był codzienny telefon i pytanie, jak się czują, co porabiają. Odpowiadały tak, jakby już znalazły osobne mieszkanie, w rzeczywistości jednak dalej były z ojcem, ale ponieważ przyzwyczaiły się do rozdzielania nas nawet w słowach, nie wspominały o nim, jakby w ogóle nie istniał. Na pytania o nowe życie odpowiadały albo wesoło i wymijająco, albo z dąsem przerywanym milczeniem, albo wymuszonym tonem, który przyjmowały, kiedy znajdowały się w towarzystwie. Same też często dzwoniły – zwłaszcza Bianca, którą łączyła ze mną relacja władczo-roszczeniowa – ale tylko po to, żeby się dowiedzieć, czy niebieskie buty pasują do pomarańczowej spódnicy, żebym odszukała jakieś kartki włożone do takiej, a nie innej książki i pilnie im wysłała albo żeby sprawdzić, czy ciągle mogą na mnie wyładować złość i rozpacz, pomimo iż przebywamy na dwóch kontynentach i dzieli nas szmat nieba. Nasze telefoniczne rozmowy zazwyczaj były krótkie, czasami odgrywane, jak w kinie.

Robiłam to, o co mnie prosiły, reagowałam zgodnie z ich oczekiwaniami. Ale ponieważ odległość uniemożliwiała bezpośrednią ingerencję w ich życie, spełnianie życzeń czy kaprysów ograniczało się do sporadycznych i pozbawionych odpowiedzialności uczynków, każda prośba była niezobowiązująca, każda powinność stała się serdecznym nawykiem. Czułam się cudownie wolna, jakbym wreszcie dokończyła trudne dzieło i zrzuciła je ze swoich ramion.

Zaczęłam pracować, nie bacząc na porę dnia i związane z nią wymogi. W nocy, przy dźwiękach muzyki, poprawiałam prace studentów, spałam popołudniami z zatyczkami w uszach, jadłam raz dziennie, zawsze w pobliskiej trattorii. Szybko zmienił się mój styl bycia, nastrój, a nawet wygląd. Na uniwersytecie studenci przestali działać mi na nerwy, zarówno ci bezdennie głupi, jak i ci przemądrzali. Kolega po fachu, z którym od lat łączyła mnie zażyłość i z którym czasami, choć rzadko, szłam do łóżka, pewnego wieczoru powiedział z zakłopotaniem, że stałam się mniej roztargniona i bardziej szczodra. W ciągu kilku miesięcy odzyskałam sylwetkę z lat młodzieńczych i dawną energię, czułam się tak, jakby moje myśli znowu nabrały właściwej prędkości. Któregoś wieczoru przyjrzałam się sobie w lustrze. Miałam czterdzieści siedem lat, za cztery miesiące kończyłam czterdzieści osiem, ale w magiczny sposób pozbyłam się kilku ładnych lat. Nie wiem, czy sprawiło mi to przyjemność, ale z pewnością mnie zaskoczyło.

Kiedy nadszedł czerwiec, ten nietypowy stan błogości sprawił, że zapragnęłam wakacji, postanowiłam więc, że jak tylko uporam się z egzaminami i biurokracją, pojadę nad morze. Pogrzebałam w Internecie, przeanalizowałam zdjęcia i ceny. W końcu wynajęłam mały i stosunkowo tani apartament nad wybrzeżem Morza Jońskiego na okres od połowy lipca do końca sierpnia. Ale wyjechać udało mi się dopiero 24 lipca. Podróż autem wyładowanym przede wszystkim książkami, które były mi potrzebne do przygotowania kursu na następny rok akademicki, przebiegała spokojnie. Dzień był piękny, przez otwarte okna wpadało powietrze pachnące spaloną ziemią, czułam się wolna i nie miałam z tego powodu wyrzutów sumienia.

Ale w połowie drogi, podczas tankowania, ogarnął mnie nagły niepokój. Kiedyś bardzo lubiłam morze, jednak co najmniej od piętnastu lat opalanie się wprawiało mnie w rozdrażnienie i natychmiast męczyło. Apartament z pewnością okaże się brzydki, z widokiem na skrawek błękitu w oddali i w otoczeniu samych mizernych i tanich bloków. Oka nie zmrużę z powodu upałów i głośnej muzyki w lokalach. Resztę trasy pokonałam w złym humorze, z przekonaniem, że w lecie pracowałoby mi się lepiej we własnym domu, w klimatyzowanym pomieszczeniu, w ciszy opuszczonego budynku.

Do celu dotarłam, gdy słońce już zachodziło. Miejscowość była ładna, ludzie mówili z miłym dla ucha akcentem, czuć było przyjemne zapachy. Czekał na mnie serdeczny starszy pan z siwą czupryną. Najpierw zaprosił mnie na kawę do baru, a potem z uśmiechem przeplatanym kategoryczną gestykulacją zakazał wniesienia choćby jednej torby. Objuczony walizami, sapiąc, wspiął się na trzecie, ostatnie piętro i tam, na progu niewielkiego mieszkania, postawił bagaże: sypialnia, malutka ślepa kuchnia z wejściem do łazienki, salon z dużymi oknami i balkon, z którego o zmierzchu rozciągał się widok na poszarpane rafami wybrzeże i bezkresne morze.

Starszy pan miał na imię Giovanni, nie był właścicielem mieszkania, lecz swego rodzaju dozorcą i złotą rączką; nie przyjął napiwku i prawie się obraził, że nie rozumiem, iż to, co robi, wynika z gościnności. Kiedy wreszcie się pożegnał, upewniwszy się kilkakrotnie, że wszystko mi odpowiada, na stole w salonie zobaczyłam wielki talerz pełen brzoskwiń, śliwek, gruszek, winogron i fig. Błyszczał jak na obrazie z martwą naturą.

Wyniosłam na balkon wiklinowy fotel i usiadłam, aby się przyjrzeć, jak nad morzem powoli zapada noc. Przez lata głównym powodem wyjazdu na wakacje były dziewczynki, a kiedy dorosły i zaczęły podróżować po świecie z przyjaciółmi, ja czekałam na nie w domu. Zamartwiałam się nie tylko wszelakiego rodzaju ewentualnymi katastrofami (lotniczymi, morskimi, wojnami, trzęsieniami ziemi, tsunami), ale też ich słabymi nerwami, możliwymi spięciami z towarzyszami podróży, sercowymi dramatami z powodu pochopnych miłostek bądź odrzuconych awansów. Chciałam być gotowa na niespodziewaną prośbę o pomoc, bałam się, że mogą mnie całkiem słusznie oskarżyć, że jestem roztargniona czy nieobecna, skupiona na sobie samej. Dosyć. Wstałam, żeby wziąć prysznic.

Potem poczułam głód, wróciłam więc do talerza z owocami. Odkryłam, że figi, gruszki, śliwki, brzoskwinie i winogrona tylko ładnie wyglądają, a w środku są stare albo przegniłe. Wzięłam nóż, zaczęłam odcinać sczerniałe kawałki, jednak zapach i smak owoców wzbudziły we mnie wstręt, wyrzuciłam więc wszystko do kosza. Mogłam wyjść, poszukać jakiejś restauracji, ale byłam zmęczona i chciało mi się spać, dlatego zrezygnowałam z kolacji.

W sypialni były dwa duże okna, otworzyłam je na oścież, zgasiłam światła. Na zewnątrz co jakiś czas eksplodował w ciemnościach blask latarni morskiej i na kilka sekund zalewał pokój. Nigdy nie powinno się przyjeżdżać do nowego miejsca wieczorem, kiedy wszystko wydaje się obce, a każdy przedmiot wygląda groźnie. Położyłam się na łóżku w szlafroku i z wilgotnymi włosami, wpatrzyłam się w sufit i czekałam, aż rozbłyśnie bielą, wsłuchałam się w odległy warkot silnika i cichą pieśń, która przypominała miauczenie. Czułam się nieswojo. Obróciłam się sennie na bok i wtedy dotknęłam czegoś zimnego, co leżało na poduszce, czegoś jakby z bibuły.

Włączyłam światło. Na bielusieńkiej poszewce leżał owad długi na trzy czy cztery centymetry, przypominał dużą muchę. Miał błoniaste skrzydła, był ciemnobrązowy i się nie ruszał. Pomyślałam: to cykada, może pękł jej brzuch. Dotknęłam ją skrawkiem szlafroka, poruszyła się, ale zaraz znowu zastygła. Samiec albo samica. Brzuch samic pozbawiony jest elastycznych błon, nie wydaje dźwięków, jest niemy. Poczułam obrzydzenie. Cykada nakłuwa drzewa oliwne i korę jesionu mannowego i czeka, aż wypłynie z niej manna. Ostrożnie podniosłam poduszkę, podeszłam do okna i strzepnęłam owada na zewnątrz. Tak zaczęły się moje wakacje.

3.

Następnego dnia włożyłam do torby stroje kąpielowe, ręczniki, książki, kserokopie, zeszyty, wsiadłam do samochodu i drogą biegnącą wzdłuż wybrzeża wyruszyłam na poszukiwanie plaży i morza. Po dwudziestu minutach po mojej prawej stronie pojawił się lasek piniowy, zobaczyłam znak wskazujący na parking, zatrzymałam się. Objuczona przeskoczyłam przez barierę i zapuściłam się w głąb po ścieżce czerwonej od igieł sosnowych.

Uwielbiam zapach żywicy. Gdy byłam mała, lato spędzałam na plażach jeszcze nie zalanych betonem przez kamorrę, które zaczynały się tam, gdzie kończyły lasy. Ten zapach to zapach wakacji, letnich dziecięcych zabaw. Każdy trzask suchej szyszki czy jej głuche uderzenie o ziemię, ciemna barwa orzeszków piniowych przywodzą mi na myśl usta mojej matki, widzę, jak śmiejąc się, rozgryza łupinki, wyciąga żółte nasionka, podaje je moim siostrom, które hałaśliwie się ich domagają, i mnie czekającej w milczeniu, albo sama je zjada, brudząc sobie wargi ciemnym pyłem, i mówi, żeby oduczyć mnie nieśmiałości: ty nic nie dostaniesz, jesteś bardziej zamknięta niż zielona szyszka.

Lasek piniowy był gęsty, ze zbitym poszyciem, a powyginane przez wiatr pnie wyglądały tak, jakby zaraz miały upaść do tyłu, przerażone czymś, co nadciąga od morza. Uważałam, żeby nie potknąć się o wydeptane korzenie, które przecinały ścieżkę, i hamowałam obrzydzenie, gdy na mój widok zakurzone jaszczurki porzucały słoneczne plamy i czmychały w poszukiwaniu kryjówki. Szłam nie więcej niż pięć minut, potem pojawiły się wydmy i morze. Minęłam powykręcane pnie eukaliptusów wyrastających z piasku, weszłam na drewniany chodnik biegnący pośród zielonych trzcin i oleandrów i dotarłam do ładnie zagospodarowanego kąpieliska.

Miejsce od razu przypadło mi do gustu. Przychylnie nastawiła mnie też uprzejmość opalonego mężczyzny w kasie i opanowanie młodego, chudego i wysokiego ratownika bez mięśni, w koszulce i w czerwonych spodenkach, który odprowadził mnie do parasola. Piasek przypominał biały proszek, długo pływałam w przeźroczystej wodzie, potem się opalałam. Na koniec rozłożyłam się w cieniu z książką i spokojnie pracowałam aż do zmierzchu, rozkoszując się bryzą znad wody i niespodziewanymi metamorfozami morza. Dzień minął na tak pogodnym zespoleniu pracy, fantazji i lenistwa, że postanowiłam codziennie tu wracać.

W niespełna tydzień miałam już ustalone nawyki. Szłam przez lasek piniowy i myślałam tylko o tym, jak bardzo lubię trzask otwierających się na słońcu szyszek, smak pewnych zielonych liści przypominających mirt, łuszczącą się korę eukaliptusów. Po drodze wyobrażałam sobie zimę, zimny las tonący we mgle, ostrokrzew pełen czerwonych kulek. Mężczyzna w kasie codziennie witał mnie grzecznie i z radością, zamawiałam kawę w barze, kupowałam wodę mineralną. Ratownik miał na imię Gino i bez wątpienia był studentem, troskliwie otwierał mi parasol i leżak, a potem wycofywał się do cienia – rozchylone mięsiste wargi, baczne oczy – gdzie ołówkiem podkreślał coś w grubym podręczniku, przygotowując się zapewne do egzaminu.

Rozczulał mnie, gdy tak na niego patrzyłam. Zazwyczaj, gdy mokra kładłam się na słońcu, zapadałam w drzemkę, bywało jednak, że nie spałam, przymykałam tylko oczy i obserwowałam go z sympatią, bacząc, żeby się nie zorientował. Nie był spokojnym typem, często krzywił piękne, choć nerwowe ciało, mierzwił sobie kruczoczarne włosy, szczypał się w podbródek. Spodobałby się bardzo moim córkom, zwłaszcza Marcie, która często zakochiwała się w chudych i nerwowych chłopcach. Mnie — sama nie wiem. Już dawno zauważyłam, że niewiele mam z siebie, za to wszystko z nich. Nawet na Gina patrzyłam przez pryzmat domniemanych doświadczeń Bianki i Marty, ich gustów i namiętności.

Gdy młodzieniec się uczył, jego czujniki działały niezależnie od wzroku. Jak tylko zabierałam się za przesuwanie leżaka ze słońca w cień, skakał na równe nogi, pytał, czy potrzebuję pomocy. Uśmiechałam się, zaprzeczałam gestami, to przecież tylko leżak. Wystarczała mi sama świadomość, że ktoś się o mnie troszczy, a ja nie muszę o niczym pamiętać, zaspo-

kajać niczyich potrzeb. Nie miałam już nikogo
pod swoją opieką, więc i sama sobie przestałam
wreszcie ciążyć.

4.

Nie od razu zauważyłam młodą matkę i jej córkę. Nie wiem, czy były tam od pierwszego dnia, czy pojawiły się dopiero potem. Przez pierwsze trzy czy cztery dni nie zwracałam uwagi na hałaśliwą grupę neapolitańczyków, dzieci, dorosłych, mężczyznę około sześćdziesiątki ze srogą miną, czwórkę czy piątkę chłopaków, którzy zawzięcie walczyli ze sobą w wodzie i na piasku, szeroką kobietę pod czterdziestkę o krótkich nogach i ciężkich piersiach, która często wędrowała między plażą a barem, dźwigając z udręczeniem brzemienny brzuch, wielki napięty łuk między dwoma częściami stroju kąpielowego. Wszyscy byli ze sobą spokrewnieni, rodzice, dziadkowie, dzieci, wnuki, kuzynostwo, szwagrowie i szwagierki, i śmiali się gromko. Nawoływali się wrzaskliwie po imieniu, rzucali krótkimi, porozumiewawczymi okrzykami, czasami się kłócili: wielka rodzina, podobna do mojej z dzieciństwa, te same żarty, te same czułości, te same złości.

Pewnego dnia podniosłam wzrok znad książki i wtedy zobaczyłam je po raz pierwszy, młodziutką kobietę i dziewczynkę. Wracały pod parasol, ona, nie więcej niż dwadzieścia lat, szła z opuszczoną głową, a mała, trzy czy cztery lata, patrzyła w górę z zachwytem, przyciskając do siebie lalkę w taki sposób, w jaki mama nosi dziecko w ramionach. Rozmawiały ze spokojem, jakby nikogo wokół nich nie było. Kobieta w ciąży coś do nich krzyczała gniewnie spod parasola, a jakaś gruba szara pani koło pięćdziesiątki w kompletnym ubraniu, być może matka, machała z niezadowoleniem i dezaprobatą. Dziewczyna jednak, głucha i ślepa na wszystko, nie przestawała mówić do dziecka i wracała znad morza miarowym krokiem, pozostawiając na piasku ciemne ślady.

One też należały do wielkiej, hałaśliwej rodziny, chociaż ta młoda matka o smukłej sylwetce, wiotkiej szyi, pięknym kształcie głowy, z długimi, ondulowanymi, mieniącymi się czarnymi włosami, twarzą jak u Hinduski, wyrazistymi policzkami, mocno zarysowanymi brwiami i migdałowymi oczami, widziana z daleka w jednoczęściowym eleganckim stroju kąpielowym nie pasowała do reszty, wyglądała tak, jakby jej organizm w zagadkowy sposób wyłamał się z reguły, jakby padła ofiarą porwania albo została podmieniona w szpitalu.

Od tamtej chwili co jakiś czas spoglądałam w ich stronę.

W małej było coś niepokojącego, sama nie wiem co, jakiś dziecięcy smutek, a może ukryta choroba. Na jej buzi odmalowywało się nieustające błaganie o obecność matki: błaganie bez płaczu czy grymasów, przed którym matka się nie uchylała. Raz zaobserwowałam, z jak wielką uwagą i delikatnością smarowała małą kremem. Innym razem uderzyło mnie niespieszne tempo ich wspólnej kąpieli: matka tuliła córkę do siebie, a córka obejmowała ją mocno za szyję. Śmiały się i rozkoszowały bliskością ciał, dotykały się nosami, wypluwały wodę, całowały. Przy innej okazji widziałam, jak bawią się lalką. Sprawiało im to wyraźną przyjemność: ubierały ją, rozbierały, smarowały na niby kremem przeciwsłonecznym, kąpały w zielonym wiaderku, wycierały, żeby nie zmarzła, przykładały do piersi albo karmiły piaskowymi kaszkami i kładły przy sobie na ręczniku. Chociaż dziewczyna była sama w sobie piękna, dodatkowo wyróżniało ją macierzyństwo, sprawiała wrażenie, jakby córka była jej jedynym pragnieniem.

Mimo to wyraźnie była zżyta z liczną grupą krewnych. Plotkowała z kobietą w ciąży, grała w karty ze spalonymi słońcem rówieśnikami, pewnie kuzynami, spacerowała po brzegu ze starszym panem o srogiej minie (ojcem?) albo z młodymi hałaśliwymi kobietami, siostrami, kuzynkami, szwagierkami. Nie wyglądała, jakby miała męża czy kogoś, kto byłby ojcem dziecka. Zauważyłam natomiast, że wszyscy członkowie rodziny troszczą się o nią i o małą. Szara gruba pani koło pięćdziesiątki chodziła z nią do baru, żeby kupić dziewczynce lody. Na każde zawołanie chłopcy przerywali zabawę i prychając z niezadowolenia, szli po wodę, jedzenie, po wszystko, czego potrzebowała. Jak tylko matka i córka oddalały się o kilka metrów od brzegu na małej czerwono-niebieskiej łódce, kobieta w ciąży krzyczała: Nina, Lenù, Ninetta, Lena, i dysząc, biegła nad brzeg, alarmowała nawet ratownika, a ten skakał na równe nogi, żeby kontrolować sytuację. Kiedy do dziewczyny podeszło dwóch typów i zaczęło ją podrywać, od razu interweniowali kuzyni, w ruch poszły szturchańce i wyzwiska, o mały włos nie doszło do bójki.

Na początku nie wiedziałam, czy to matka, czy córka nazywa się Nina, Ninù, Ninè, tyle było tych imion, że ciężko było się zorientować. Potem, osłuchawszy się z krzykami i głosami, zrozumiałam, że Nina to matka. Gorzej było z dziewczynką, na początku wszystko mi się plątało. Myślałam, że wołają na nią Nani albo Nena czy Nennella, w końcu zrozumiałam, że to imiona lalki, z którą mała ani na chwilę się nie rozstawała i z którą Nina obchodziła się jak z żywym dzieckiem, jak z drugą córką. Dziewczynka natomiast miała na imię Elena, Lenù: matka zawsze nazywała ją Elena, krewni zaś Lenù.

Nie wiem po co, ale zapisałam sobie te imiona w zeszycie: Elena, Nani, Nena, Leni; może podobało mi się, jak Nina je wypowiada. Mówiła do dziecka i do lalki z miłym dla ucha akcentem, w melodyjnym dialekcie neapolitańskim, zwracała się do niej słowami, jakie lubię, w języku zabawy i radości. Byłam nim oczarowana. Języki kryją w sobie jad, który co jakiś czas wypływa i nie ma na niego odtrutki. Pamiętam, jak dialekt w ustach mojej matki tracił swoją słodycz, gdy wrzeszczała, zatruta złością: ja już z wami dłużej nie wytrzymam, nie wytrzymam. Rozkazy, wrzaski, wyzwiska, życie prężące się w jej słowach jak nadszarpnięty nerw, który przy najmniejszym dotknięciu każe z bólem zerwać z wszelkimi manierami. Raz, dwa razy, trzy zagroziła nam, córkom, że odejdzie: obudzicie się rano, a mnie już nie będzie. Codziennie budziłam się, drżąc ze strachu. Ale zawsze była, choć w słowach ciągle znikała z domu. Ta kobieta, Nina, wyglądała na spokojną, zazdrościłam jej tego.

5.

Tydzień wakacji minął w mgnieniu oka: piękna pogoda, lekki wietrzyk, mnóstwo niezajętych parasoli, dialekty z całych Włoch mieszające się z dialektem lokalnym i nielicznymi językami obcymi u cudzoziemców zażywających tutejszego słońca.

Potem nadeszła sobota, plaża się zaludniła. Mój słoneczno-cienisty obszar został oblężony przez lodówki turystyczne, wiaderka, łopatki, dmuchane rękawki i kółka, rakietki. Zrezygnowałam z lektury i rozejrzałam się pośród tłumów za Niną i Eleną, żeby jakoś zabić czas.

Z trudem je odnalazłam, spostrzegłam, że postawiły leżak kilka metrów od morza. Nina opalała się na plecach, a obok niej w tej samej pozycji leżała, o ile dobrze widziałam, lalka.

Dziewczynka natomiast chodziła nad brzeg z żółtą plastikową konewką, nabierała do niej wody i trzymając dwoma rączkami, bo konewka była ciężka, sapiąc i śmiejąc się, wracała do matki, żeby polać jej ciało i ochłodzić. Kiedy konewka była pusta, ruszała po kolejną porcję wody – ta sama droga, ten sam trud, ta sama radość.

Może źle spałam, może przez głowę przeleciała mi jakaś nieprzyjemna myśl, której nie odnotowałam, faktem jest, że tamtego ranka ich widok mnie zirytował. Elena wydała mi się tępo skrupulatna: najpierw lała wodę na kostki matki, potem lalki, obie pytała, czy wystarczy, obie odpowiadały, że nie, zaczynała więc od początku. Nina z kolei sprawiała wrażenie nienaturalnej: mruczała z rozkoszą, powtarzała mruczenie innym tonem, jakby głos dobywał się z ust lalki, i wzdychała: jeszcze, jeszcze. Wyglądała, jakby rolę młodej i pięknej matki odgrywała nie z miłości do córki, ale dla nas, dla tłumów na plaży, dla wszystkich, kobiet i mężczyzn, młodych i starych.

Długo trwało to polewanie. Ciało Niny całe lśniło od wody, skrzące igiełki tryskające z konewki zmoczyły również włosy, które przylepiły się do głowy i czoła. Lalka, Nani, Nile albo Nena, zraszana była z równą wytrwałością, z tym że ona nie wchłaniała wody – ta spływała z niebieskiego leżaka prosto na czerniejący pod nim piasek.

Przyglądałam się dziewczynce, jak biega w tę i z powrotem, i sama nie wiem, co mi nie pasowało, może zabawa wodą, może demonstrowana przez Ninę przyjemność wylegiwania się na słońcu. Albo głosy. Tak, zwłaszcza głos, jaki matka i córka podkładały pod lalkę. Raz robiły to na zmianę, innym razem wspólnie, przez co głos dorosłej kobiety, która udaje dziecko, mieszał się z głosem dziecka udającego dorosłego. Obie wyobrażały sobie, że z gardła niemego w rzeczywistości przedmiotu dobywa się jeden i ten sam głos. Ja jednak najwyraźniej nie potrafiłam zanurzyć się w ich świat, odczuwałam rosnącą niechęć do tej zabawy. Pewnie, że leżałam daleko, co mnie ona obchodziła, mogłam się przyglądać albo zignorować, przecież to tylko rozrywka. Mimo to byłam poirytowana, jakbym patrzyła na złą inscenizację, coś się we mnie domagało, aby w końcu się zdecydowały, czy lalka mówi głosem matki czy córki, koniec z udawaniem, że są jednym.

Gdy myśli krążą wokół nawet lekkiego bólu, ten w końcu osiąga granice wytrzymałości. Zdenerwowałam się. W pewnym momencie poczułam chęć, by wstać, podejść do leżaka, na którym odbywała się zabawa, i rzucić: koniec z tym, nie umiecie się bawić, przestańcie. I naprawdę wstałam z takim zamiarem, nie mogłam już dłużej wytrzymać. Oczywiście nic nie powiedziałam, minęłam je, patrząc przed siebie. Pomyślałam: jest za gorąco, a ja przecież nie cierpię zatłoczonych miejsc, wszyscy mówią w taki sam sposób, poruszają się w jednym celu, wykonują to samo. Moje nagłe załamanie nerwowe zrzuciłam na karb weekendowego ścisku na plaży i poszłam zamoczyć nogi.

6.

Koło południa wydarzyło się coś nowego. Drzemałam w cieniu, choć od strony kompleksu plażowego dobiegała zbyt głośna muzyka, kiedy nagle usłyszałam, jak kobieta w ciąży woła Ninę, żeby obwieścić jej coś niebywałego.

Otworzyłam oczy i zobaczyłam, że dziewczyna bierze córkę na ręce i z przesadną radością wskazuje na coś albo na kogoś za moimi plecami. Odwróciłam się i ujrzałam, jak krępy, ciężki mężczyzna między trzydziestką a czterdziestką, ogolony na łyso, w czarnym podkoszulku ciasno opinającym obfity brzuch nad zielonymi kąpielówkami schodzi na plażę po drewnianym deptaku. Mała rozpoznała go, pomachała nerwowo, śmiejąc się i kokieteryjnie chowając buzię między szyją a ramieniem matki. Mężczyzna zachował powagę, niedbale odpowiedział na powitanie. Miał ładne rysy i przenikliwe oczy. Nie spieszył się, przystanął, by przywitać się z zarządcą kąpieliska, czule poklepał młodego ratownika po policzku, gdy ten ochoczo do niego podbiegł. Wraz z nim zatrzymała się również świta jowialnych osiłków w kąpielówkach, z plecakami przerzuconymi przez ramię, lodówką turystyczną i paroma paczuszkami, które, jeśli oceniać po wstążkach i kokardkach, musiały być na prezent. Kiedy mężczyzna wreszcie wszedł na plażę, podeszła do niego Nina z dzieckiem i znowu zablokowała nieliczny orszak. On z powagą i spokojem wziął z jej rąk Elenę, ta objęła go za szyję i obsypała gradem małych całusów. Nie odmawiając dziewczynce policzka, chwycił Ninę za kark, przyciągnął w dół do siebie – był co najmniej o dziesięć centymetrów niższy – i z władczym dostojeństwem złożył na jej ustach przelotny pocałunek.

Domyśliłam się, że oto przybył ojciec Eleny, mąż Niny. Neapolitańczyków ogarnęło świąteczne poruszenie, stłoczyli się wokół niego, przepychając aż pod mój parasol. Patrzyłam, jak dziewczynka rozpakowuje prezenty, jak Nina przymierza brzydki słomiany kapelusz. Potem nowo przybyły wskazał coś na morzu, na białą motorówkę. Starszy pan ze srogą miną, chłopcy, szara i gruba kobieta, kuzyni i kuzynki zaczęli cisnąć się przy brzegu, przekrzykiwać i wymachiwać rękami. Motorówka przekroczyła linię czerwonych boi, zygzakiem ominęła pływających ludzi, pokonała linię białych boi i z włączonym silnikiem wpłynęła między dzieci i starszych, którzy kąpali się w metrowej wodzie. Wyskoczyli z niej ociężali mężczyźni o wyblakłych twarzach, kobiety szpetnie odziane w bogactwo, otyłe dzieci. Uściski, całusy w policzki, Nina straciła kapelusz, porwał go wiatr. Jej mąż, pomimo dziecka na ręku, jak przyczajony zwierz, który przy najlżejszej oznace zagrożenia zrywa się z niespodziewaną siłą i prędkością, chwycił nakrycie głowy w locie, zanim wpadło do wody, i oddał żonie. Ona wcisnęła kapelusz mocno na głowę, a mnie nagle wydał się on piękny i dopadło mnie nieracjonalne poczucie dyskomfortu.

Zamieszanie wzrosło. Nowo przybyłych najwyraźniej rozczarowało rozmieszczenie parasoli, mąż wezwał Gina, zjawił się również zarządca kąpieliska. Zrozumiałam, że chcą być razem, rezydująca na plaży rodzina i krewni z wizytą, że chcą stworzyć zwartą linię leżaków, zapasów żywności, rozbawionych dzieci i dorosłych. Pokazywali w moją stronę, gdzie stały dwa wolne parasole, żywo gestykulowali, zwłaszcza kobieta w ciąży, która w pewnej chwili zaczęła prosić sąsiadujących plażowiczów o przeniesienie się, o przesunięcie się o jeden parasol, jak w kinie, kiedy ktoś cię prosi uprzejmie, żebyś się przesiadł o kilka miejsc dalej.

Wyglądało to jak zabawa. Plażowicze wahali się, nie chciało im się przenosić rzeczy, ale dzieci i dorośli z klanu już ich w tym wspaniałomyślnie wyręczali i koniec końców większość z ochotą zmieniła miejsce.

Otworzyłam książkę, ale ogarnęło mnie rozdrażnienie, które narastało przy każdym zderzeniu z dźwiękiem, barwą, zapachem. Ci ludzie mnie drażnili. Wychowałam się w podobnym środowisku, tacy byli moi wujowie, kuzyni, mój ojciec: arogancko serdeczni. Usłużni, zazwyczaj bardzo towarzyscy, każda prośba brzmiała w ich ustach jak polecenie osłodzone przez fałszywą dobrotliwość, w razie potrzeby stawali się wulgarni i brutalni. Moja matka wstydziła się plebejskiej natury mojego ojca i jego krewnych, chciała być inna, wewnątrz tego świata grała dobrze ubraną i życzliwą panią. Ale przy najmniejszym konflikcie maska opadała i ona też zaczynała jak pozostali brutalnie się zachowywać i mówić. Patrzyłam na nią ze zdziwieniem i rozczarowaniem i obiecywałam sobie, że nie będę do niej podobna, że naprawdę stanę się inna i pokażę, że straszenie nas tymi jej „nigdy, nigdy więcej już mnie nie zobaczycie" jest czymś złym i niepotrzebnym, że trzeba na serio coś zmienić albo na serio odejść, zostawić wszystkich, zniknąć. Cierpiałam za nią i za siebie, wstydziłam się, że wyszłam z brzucha tak nieszczęśliwej osoby. Ta myśl w powiązaniu z zamieszaniem na plaży dodatkowo mnie zdenerwowała i nasiliła niechęć do manier tych ludzi oraz wewnętrzny dyskomfort.

Tymczasem coś wstrzymało przenosiny. Kobieta w ciąży nie była w stanie porozumieć się z pewną rodziną, inny język, cudzoziemcy, chcieli zostać pod swoim parasolem. Przekonywali ich chłopcy, kuzyni spod ciemnej gwiazdy, srogi starzec, i nic. W końcu zauważyłam, że rozmawiają z Ginem i spoglądają w moją stronę. Wysłali delegację, ratownika i kobietę w ciąży.

Młodzieniec ze skrępowaniem wskazał na cudzoziemców – ojca, matkę, dwóch kilkuletnich chłopców. Niemcy, powiedział, zapytał, czy znam ich język, czy nie przetłumaczę, a kobieta, podpierając się ręką w krzyżu i wypinając nagi brzuch, dodała w dialekcie, że ciężko się z nimi dogadać i żebym im powiedziała, że chodzi tylko o zmianę parasola, nic innego, aby oni mogli być razem, przyjaciele i krewni, bo świętują.

Chłodno skinęłam głową Ginowi, że się zgadzam, i poszłam porozmawiać z Niemcami, którzy okazali się Holendrami. Czułam na sobie spojrzenie Niny, mówiłam głośno i z pewnością siebie. Sama nie wiem dlaczego, ale po kilku pierwszych słowach ogarnęło mnie pragnienie, żeby popisać się umiejętnościami, konwersowałam więc z przyjemnością. Ojciec rodziny dał się przekonać, znowu zapanowała atmosfera przyjaźni, Holendrzy i neapolitańczycy zbratali się. Gdy wracałam pod swój parasol, świadomie przeszłam obok Niny i po raz pierwszy zobaczyłam ją z bliska. Nie wydawała się już taka piękna, taka młoda, dostrzegłam źle wygolone pachwiny, dziewczynka na jej rękach miała zaczerwienione i załzawione oko oraz czoło całe w potówkach, a lalka była brzydka i brudna. Dotarłam na swoje miejsce, wyglądałam na spokojną, ale byłam bardzo roztrzęsiona.

Znowu próbowałam czytać, bez skutku. Rozmyślałam, ale nie nad tym, co powiedziałam Holendrom, lecz nad tonem, jakim się posłużyłam. Ogarnęło mnie podejrzenie, że nieświadomie stałam się wysłanniczką despotycznego marazmu, że przełożyłam na inny język istotę grubiaństwa. Byłam zła na neapolitańczyków, na siebie. Dlatego gdy kobieta w ciąży wskazała na mnie z cierpiętniczą miną i zawołała do dzieci, do mężczyzn, do Gina: no już, ta pani też się przenosi – prawda, że się przeniesiecie? – odpowiedziałam szorstko i wyzywająco: nie, tu mi dobrze, przykro mi, ale nie zamierzam się przenosić.

7.

Jak zwykle zebrałam się do odejścia o zmierzchu, tym razem jednak spięta i zgorzkniała. Po mojej odmowie kobieta w ciąży zaczęła nalegać coraz bardziej agresywnie, nadszedł starszy pan, wypowiadał zdania w stylu: co wam szkodzi, dziś przysługa wasza, jutro nasza, wszystko jednak trwało zaledwie kilka minut, nie zdążyłam nawet powtórzyć kategorycznego nie, ograniczyłam się tylko do kręcenia głową. Kwestię krótko zakończył mąż Niny, rzucił z daleka głośne dosyć, tak jest dobrze, zostawcie już panią, i wszyscy dali mi spokój. Na końcu wycofał się młody ratownik, który przed odejściem wymamrotał jeszcze słowa przeprosin.

Przez resztę dnia udawałam, że czytam. W rzeczywistości w uszach huczał mi dialekt członków klanu, ich wrzaski, śmiechy, a to nie pozwalało mi się skupić. Coś świętowali, jedli, pili, śpiewali, jakby byli sami na plaży albo jakby cała reszta miała obowiązek radować się ich szczęściem. W dobytku przywiezionym motorówką było wszystko, obfity obiad, wino, desery, likiery, na wiele godzin ucztowania. Nikt więcej nie spoglądał w moją stronę, nie padło ani jedno ironiczne słowo pod moim adresem. Ale kiedy się ubrałam i zabierałam do odejścia, kobieta z wielkim brzuchem oddaliła się od grupy i podeszła do mnie. Podała mi talerzyk z kawałkiem deseru lodowego w malinowym kolorze.

– Dziś są moje urodziny – powiedziała z powagą.

Wzięłam deser, chociaż nie miałam na niego ochoty.

– Wszystkiego najlepszego. Ile lat pani kończy?

– Czterdzieści dwa.

Popatrzyłam na brzuch, na pępek wystający jak oko.

– Ładny brzuszek.

Zrobiła zadowoloną minę.

– To dziewczynka. Długo nic, a teraz proszę.

– Ile brakuje?

– Dwa miesiące. Szwagierka od razu zaszła w ciążę, ja musiałam czekać osiem lat.

– Dzieci pojawiają się wtedy, kiedy mają się pojawić. Dziękuję i jeszcze raz wszystkiego najlepszego.

Skosztowałam deser i chciałam oddać talerz, ale ona nie zwróciła na to uwagi.

– Macie dzieci?

– Dwie dziewczynki.

– Od razu się udało?

– Miałam dwadzieścia trzy lata, gdy urodziłam pierwszą.

– Są już duże.

– Jedna ma dwadzieścia cztery lata, druga dwadzieścia dwa.

– Wyglądacie na młodszą. Szwagierka mówi, że nie możecie mieć więcej niż czterdzieści lat.

– Mam czterdzieści osiem.

– Dobrze się trzymacie, to wielkie szczęście. Jak macie na imię?

– Leda.

– Neda?

– Leda.

– A ja Rosaria.

Podałam talerzyk z większym zdecydowaniem, wzięła go.

— Wcześniej byłam nieco poirytowana — usprawiedliwiłam się mimowolnie.

— Czasami morze nie służy. Chyba że córki są powodem do zmartwienia?

— Dzieci zawsze są powodem do zmartwienia.

Pożegnałyśmy się, zauważyłam, że Nina nas obserwuje. Nadąsana ruszyłam przez las, czułam, że postąpiłam źle. Co mi szkodziło przesiąść się pod inny parasol, inni się zgodzili, nawet Holendrzy. Dlaczego nie ja? Poczucie wyższości, duma. Chęć obrony leniwej zadumy, skłonność do pouczania o dobrym wychowaniu z wysokości własnego wykształcenia. Same bzdury. Całą swoją ciekawość skupiłam na Ninie tylko dlatego, że była mi bliższa pod względem wyglądu, natomiast nieładnej i bezpretensjonalnej Rosarii nie obdarzyłam ani jednym spojrzeniem. Musieli ją wiele razy wołać po imieniu, ale ja nie zwróciłam na to uwagi. Pozostała poza zasięgiem mojego zainteresowania, anonimowa postać kobiety, która prostacko nosi swoją ciążę. Okazałam się płytka. I jeszcze to zdanie: dzieci zawsze są powodem do zmartwienia. Rzucone kobiecie, która wkrótce urodzi: czysta głupota. Stać mnie tylko na pogardę, sceptycyzm, ironię. Raz Bianca wykrzyczała mi przez łzy: ty zawsze czujesz się lepsza; a Marta: po co nas urodziłaś, skoro tylko na nas narzekasz? Kawałki słów, sylaby. Zawsze nadchodzi chwila, kiedy dzieci w złości i w rozpaczy wyrzucą: dlaczego dałaś mi życie? Szłam zamyślona. W lasku piniowym dominowały teraz odcienie fioletu, podniósł się wiatr. Za plecami usłyszałam trzaski, może wywołane krokami. Odwróciłam się, cisza. Znowu ruszyłam. Nagle otrzymałam brutalny cios w plecy, jakby ktoś cisnął we mnie kulą bilardową. Krzyknęłam z bólu i zarazem zaskoczenia, odwróciłam się, brakowało mi tchu, zobaczyłam toczącą się po ziemi zamkniętą szyszkę, wielką jak pięść. Serce waliło mi w piersiach, rozmasowałam plecy, żeby złagodzić ból. Wciąż nie mogłam zaczerpnąć tchu, spojrzałam na korony drzew wokół mnie, na huśtane wiatrem sosny.

8.

W domu rozebrałam się, stanęłam przed lustrem. Między łopatkami miałam siniec w kształcie ust, ciemny na brzegach i czerwonawy w środku. Dotknęłam go palcami, bolał. Na koszuli znalazłam kleiste ślady żywicy.

Żeby się uspokoić, postanowiłam iść na spacer, zjeść kolację poza domem. Skąd nadleciała szyszka? Pogrzebałam w pamięci – bez większego efektu. Nie mogłam się zdecydować, czy ktoś specjalnie rzucił ją w moją stronę zza krzaka, czy też spadła z drzewa. Nagły cios to zawsze zaskoczenie i ból. Kiedy wyobrażałam sobie niebo i sosny, szyszka spadała z góry; kiedy myślałam o krzewach, o podszyciu, widziałam poziomą trajektorię pocisku, szyszkę lecącą prosto w moje plecy.

Na ulicy panował sobotni tłok, ludzie spaleni słońcem, całe rodziny, kobiety z wózkami, znudzeni albo wściekli ojcowie, splecione pary młodych, starsi trzymający się za ręce. Zapach olejków do opalania mieszał się z aromatem waty cukrowej, prażonych migdałów. Ból, jak rozpalona żagiew wciśnięta między łopatki, nie pozwalał myśleć o niczym innym, jak tylko o tym, co mnie spotkało.

Poczułam potrzebę, by zadzwonić do córek, opowiedzieć im o incydencie. Odebrała Marta, zaczęła mówić, jak to ona, szybko i podniesionym głosem. Odniosłam wrażenie, że bardziej niż zazwyczaj obawia się, że wejdę jej w słowo, zadam wścibskie pytanie, zrobię wyrzut albo zwyczajnie zamienię jej przesadnie sceptyczno-radosny ton w poważną rozmowę, która postawi ją w obliczu szczerych pytań i równie szczerych odpowiedzi. Długo opowiadała o jakimś przyjęciu, na które ona i jej siostra muszą iść, nie zrozumiałam jednak kiedy, czy tego wieczoru, czy nazajutrz. Ojcu bardzo zależy, chodzi o jego przyjaciół, nie tylko kolegów z uniwersytetu, ale ludzi, którzy pracują w telewizji, ważne osobistości, na których chce zrobić wrażenie, którym pragnie pokazać, że choć nie skończył jeszcze pięćdziesiątki, ma już dwie dorosłe, dobrze wychowane, piękne córki. Mówiła i mówiła, w pewnym momencie uwzięła się na klimat. Nie da się żyć w Kanadzie, wykrzyknęła, czy to lato, czy zima. Nie zapytała nawet, jak się czuję, albo zapytała, ale nie dała mi odpowiedzieć. Być może nie wspomniała w ogóle o ojcu, to ja wyczułam jego obecność między wierszami. W rozmowach z córkami słyszę przemilczane słowa czy zdania. One czasami się złoszczą, mówią: mamo, ja nigdy tego nie powiedziałam, ty to mówisz, ty to sobie wymyśliłaś. Ja jednak niczego nie wymyślam, wystarczy, że słucham, przemilczane mówi więcej niż to, co zwerbalizowane. Tamtego wieczoru, gdy Marta trajkotała bez ustanku, przez chwilę wyobraziłam sobie, że ona jeszcze się nie urodziła, że nigdy nie wyszła z mojego brzucha, że siedzi w brzuchu innej kobiety, na przykład Rosarii, i że urodzi się z innym wyglądem, inną osobowością. Możliwe, że zawsze pragnęła w głębi ducha nie być moją córką. Nerwowo opowiadała o sobie z odległego kontynentu. Opowiadała o włosach, które musi bez ustanku myć, bo się nie układają, o fryzjerze, który je zniszczył i dlatego nie pójdzie na przyjęcie, nie wyjdzie z domu w takim stanie, Bianca może iść, bo ona ma śliczne włosy. Mówiła tak, jakby to była moja wina, bo nie stworzyłam jej takiej, żeby mogła być szczęśliwa. Odwieczne żale. Wydała mi się pusta, tak, pusta i nudna, zamknięta w wymiarze zbyt odległym od mojego wymiaru na bulwarach wieczorem, i przestałam słuchać. Gdy ona dalej się żaliła, ja skupiłam się na swoim bólu w plecach i oczami wyobraźni zobaczyłam grubą, zadyszaną Rosarię, jak śledzi mnie w lesie razem z gangiem młodzieniaszków, swoich krewniaków, czai się z wielkim nagim brzuchem opartym na szerokich udach jak kopuła i wskazuje na mnie jako cel. Kiedy odłożyłam słuchawkę, żałowałam, że zadzwoniłam, byłam jeszcze bardziej wzburzona, serce waliło mi w piersiach jak oszalałe.

Musiałam coś zjeść, ale w restauracjach panował ścisk, a ja nie cierpię siedzieć samotnie w sobotę. Postanowiłam kupić coś w barze nieopodal domu. Dotarłam do niego zmęczona, zajrzałam przez szybę pod ladą: same muchy. Zamówiłam krokieciki ziemniaczane, jedno *arancino*, piwo. Kiedy z niesmakiem spożywałam swój posiłek, za plecami usłyszałam, jak kilku mężczyzn w podeszłym wieku rozmawia ze sobą w dialekcie. Grali w karty, śmiali się, dostrzegłam ich kątem oka, gdy wchodziłam do baru. Odwróciłam się. Przy stole pośród graczy siedział Giovanni, faktotum, który przyjął mnie po przyjeździe i którego potem więcej nie widziałam.

Odłożył karty na stół i podszedł do mnie. Zagadnął ogólnikowo, jak się mam, czy się zaaklimatyzowałam, jak mi się mieszka, takie tam. Przez cały czas uśmiechał się porozumiewawczo, chociaż nie miał powodu, żeby się tak uśmiechać, widzieliśmy się tylko raz przez kilka minut, nie wiem, co miałoby nas łączyć. Mówił bardzo cicho, przy każdym słowie przysuwał się coraz bliżej, dwa razy dotknął palcami mojej ręki, raz położył mi pokrytą ciemnymi plamami dłoń na ramieniu. Pytanie, czy może być jakoś użyteczny, zadał prawie do ucha. Zauważyłam, że jego karciani koledzy obserwują nas w milczeniu, i poczułam się skrępowana. Byli w jego wieku, wszyscy koło sześćdziesiątki, wyglądali jak publiczność w teatrze, która z niedowierzaniem przygląda się zdumiewającej scenie. Gdy skończyłam jeść, Giovanni skinął na barmana, jakby chciał powiedzieć, zapisz na mój rachunek, i w żaden sposób nie udało mi się zapłacić. Podziękowałam, wyszłam w pośpiechu i dopiero gdy przekraczałam próg i usłyszałam chrapliwe śmiechy graczy, zrozumiałam, że ten mężczyzna pewnie naopowiadał im bajki o stosunkach, jakie połączyły go z przyjezdną, że usiłował im to udowodnić, przyjmując na potrzeby oglądających postawę pana i władcy.

Powinnam się zdenerwować, ale od razu zrobiło mi się lepiej. Pomyślałam, że mogłabym wrócić do baru, usiąść koło Giovanniego i kibicować mu w grze, jak blondynka z gangsterskiego filmu. Ostatecznie to nic takiego: chudy starzec ze wszystkimi włosami na głowie, tylko skóra pokryta plamami i poorana zmarszczkami, pożółkłe gałki oczne i przyćmione źrenice. On odegrał scenę, ja też mogę. Szeptałabym mu na ucho, ocierałabym się biustem o rękę, opartabym podbródek na ramieniu, żeby przyjrzeć się jego kartom. Byłby mi wdzięczny do końca swoich dni.

Wróciłam jednak do domu i przeszywana światłem latarni morskiej czekałam na balkonie, aż nadejdzie sen.

9.

Przez całą noc nie zmrużyłam oka. W rozognionych plecach czułam pulsowanie, z całego miasteczka dochodziły dźwięki głośnej muzyki, warkot samochodów, nawoływania, pożegnania.

Leżałam rozebrana, czułam się tak, jakbym rozpadała się na kawałki: Bianca i Marta, trudności w pracy, Nina, Elena, Rosaria, moi rodzice, mąż Niny, książki, które czytałam, Gianni, mój były mąż. O świcie nagle nastała cisza i zasnęłam na kilka godzin.

Obudziłam się o jedenastej, w pośpiechu spakowałam swoje rzeczy, wsiadłam do samochodu. Ale była niedziela, bardzo upalna niedziela: na drogach panował straszny ruch, z trudem zaparkowałam i znalazłam się w jeszcze większym ścisku niż poprzedniego dnia, ścieżkę biegnącą przez lasek zalała rzeka młodych, starych, dzieci, wszyscy szli objuczeni torbami, by jak najszybciej zdobyć kawałek piasku, morza.

Zajęty nieustannym przepływem plażowiczów Gino nie poświęcił mi wiele uwagi, przywitał się tylko skinieniem głowy. Gdy już byłam w stroju kąpielowym, od razu położyłam się w cieniu, na plecach, aby ukryć siniec, i włożyłam okulary przeciwsłoneczne. Bolała mnie głowa.

Plaża była zatłoczona. Wzrokiem poszukałam Rosarii, nie znalazłam jej, klan się rozproszył, zmieszał z tłumem. Dopiero po jakimś czasie zobaczyłam Ninę i jej męża, jak spacerują po mokrym piasku.

Ona miała na sobie dwuczęściowy niebieski strój, znowu wyglądała przepięknie, poruszała się z wrodzoną elegancją, chociaż właśnie mówiła coś porywczym tonem; on, tym razem bez podkoszulka, był tęższy od swojej siostry Rosarii, biały, bez śladu poparzenia słonecznego, opanowany w ruchach, ze złotym łańcuchem i krzyżem na owłosionej klacie i co wydało mi się odrażające, miał głęboką bliznę, która biegła od kąpielówek aż po łuk żebrowy, przecinając gruby brzuch na dwie nabrzmiałe połówki.

Zdziwiła mnie nieobecność Eleny, po raz pierwszy nie widziałam matki i córki razem. Chwilę później jednak spostrzegłam, że dziewczynka siedzi samotnie w słońcu, na piasku dwa kroki ode mnie, w nowym kapeluszu matki na głowie i bawi się lalką. Jej oko było jeszcze bardziej zaczerwienione, co jakiś czas czubkiem języka zlizywała spływającą z nosa wydzielinę.

Do kogo była podobna? Teraz, gdy widziałam już jej ojca, dostrzegałam w niej cechy obydwojga rodziców. Patrzymy na dziecko i od razu zaczynamy zabawę w podobieństwa, spieszno nam, by zamknąć je w kręgu wytyczonym przez rodziców. De facto jest to tylko żywa materia, kolejne przypadkowe ciało powstałe w wyniku długich organicznych procesów. Inżynieria – bo natura to inżynieria, kultura też nią jest, podobnie nauka, tylko chaos nie jest inżynierem – i zarazem wściekła potrzeba reprodukcji. Chciałam mieć Biankę, dziecka pragnie się ze zwierzęcym instynktem wzmacnianym przez bieżące przekonania. Od razu się pojawiła, miałam dwadzieścia trzy lata, jej ojciec i ja znajdowaliśmy się w samym środku ciężkiej walki o pracę na uniwersytecie. Jemu się powiodło, mnie nie. Kobiece ciało robi tysiące różnych rzeczy, pracuje, biega, studiuje, marzy, wymyśla, męczy się, a tymczasem piersi stają się duże, wargi sromowe nabrzmiewają, ciało pulsuje krągłym życiem, twoim życiem, które mimo to prze w inną stronę, odwraca się od ciebie, chociaż, wesołe i ciężkie, zamieszkuje twój brzuch, a ty cieszysz się nim zachłannie i spontanicznie i jednocześnie czujesz odrazę jak do jadowitego owada wstrzykniętego prosto w żyłę.

Twoje życie chce należeć do kogoś innego. Bianca została wyparta, sama się wyparła, ale – jak sądzili wszyscy wkoło i my też – nie powinna wychowywać się sama, to zbyt smutne, potrzebowała braciszka, siostrzyczki do towarzystwa. Dlatego od razu po niej zaplanowałam – tak, dokładnie tak, *zaplanowałam* – żeby w łonie urosła też Marta.

I tak w wieku dwudziestu pięciu lat wszystko się dla mnie skończyło. Ojciec latał po świecie, jedna okazja za drugą. Brakowało mu nawet czasu, żeby zobaczyć, co z jego ciała zostało powielone, jak wyszła reprodukcja. Zerkał tylko na dziewczynki, ale powtarzał ze szczerą czułością: one to cała ty. Gianni to uprzejmy człowiek, nasze córki go kochają. Niewiele się nimi zajmował, ale kiedy zaszła potrzeba, robił co mógł, teraz też robi co może. Dzieci go lubią. Gdyby tu był, nie wylegiwałby się jak ja na leżaku, ale poszedł pobawić się z Eleną, czułby się w obowiązku, żeby to zrobić.

Ja nie. Patrzyłam na dziewczynkę, lecz to, że była sama, a jednocześnie ze wszystkimi przodkami wciśniętymi w ciało, budziło we mnie coś na podobieństwo wstrętu, nie wiedziałam jednak, co takiego mnie odstręcza. Mała bawiła się lalką. Mówiła do niej, ale nie jak do wyliniałej zabawki, z jedną połową głowy pokrytą włosami, a drugą łysą. Ciekawe, za kogo ją uważała. Nani, mówiła, Nanuccia, Nanicchia, Nennella. To była zabawa pełna miłości. Całowała ją mocno po twarzy, tak mocno, jakby zaraz miała nadmuchać plastik musującym i wibrującym tchnieniem ze swej kochającej buzi, całą miłością, do jakiej była zdolna. Całowała ją po piersiach, po plecach, po brzuchu, wszędzie, z otwartymi ustami, jakby chciała ją zjeść.

Odwróciłam oczy, nie wolno patrzeć na dziecięce zabawy. Ale zaraz znowu spojrzałam. Nani była brzydka, stara, pomazana długopisem na twarzy i na całym korpusie. Ale w tamtej chwili biła od niej jakaś siła. Teraz to ona całowała Elenę z coraz większym szałem. Uderzała ją po policzkach, kładła swoje plastikowe wargi na jej wargach, całowała wątłą klatkę piersiową, nieco wystający brzuch, wciskała głowę w zielone kąpielówki. Dziewczynka zauważyła, że na nią patrzę. Spojrzała na mnie błyszczącymi oczami, uśmiechnęła się i obiema rękami wcisnęła wyzywająco głowę lalki między nogi. Dzieci tak się bawią, wiadomo, potem o tym zapominają. Wstałam. Słońce parzyło, byłam cała zlana potem. Powietrze ani drgnęło, na horyzoncie podnosiła się szara mgiełka. Poszłam się wykąpać.

Unosząc się leniwie na wodzie pośród niedzielnych tłumów, widziałam Ninę i jej męża, jak nie przestają się kłócić. Ona czemuś się sprzeciwiała, on jej słuchał. Potem mężczyznę znużyła dyskusja, rzucił coś krótko, ale spokojnie, nie tracąc równowagi. Pomyślałam, że musi ją bardzo kochać. Zostawił ją na brzegu i poszedł porozmawiać z tymi, którzy poprzedniego dnia przypłynęli na motorówce. Najwyraźniej to oni byli tematem sporu. Zawsze tak jest, wiem z doświadczenia: najpierw uroczystość, przyjaciele, krewni, wszyscy się kochają; potem kłótnie wywołane ściskiem, eksplozja dawnych uraz. Nina miała dość gości, więc jej mąż ich odesłał. Po chwili mężczyźni, kobiety odziane w szpetne bogactwo, otyłe dzieci zaczęli opuszczać parasole klanu, ładować swoje rzeczy na motorówkę, a mąż Niny sam im pomagał, pewnie żeby przyspieszyć wyjazd. Odpłynęli wśród całusów i uścisków, tak jak przybyli, nikt nie pożegnał się z Niną. Ona zresztą odeszła wzdłuż brzegu z opuszczoną głową, jakby nie mogła ani minuty dłużej znieść ich widoku.

Długo płynęłam, żeby zostawić w tyle niedzielny tłum. Morska woda pokrzepiła plecy, ból minął, a przynajmniej tak mi się zdawało. Siedziałam w wodzie tak długo, aż rozmiękła mi skóra na opuszkach palców i zaczęłam trząść się z zimna. Moja matka, kiedy widziała mnie w takim stanie, wyciągała z wody i krzyczała. Patrzyła, jak dzwonię zębami, i jeszcze bardziej się wściekała, popychała mnie, okrywała ręcznikiem od stóp do głowy i energicznie wycierała, z taką siłą, że nie wiedziałam, czy to troska o moje zdrowie, czy długo ukrywana złość, okrucieństwo odzierające mnie ze skóry.

Rozłożyłam ręcznik na rozpalonym piasku i położyłam się. Uwielbiam dotyk ciepłego piasku po tym, jak morze wychłodziło mi ciało. Popatrzyłam tam, gdzie wcześniej siedziała Elena. Pozostała tylko lalka w żałosnej pozycji, z podniesionymi rękami, rozłożonymi nogami, na plecach, z głową w połowie zasypaną. Widać było nos, jedno oko i pół czaszki. Ciepło i bezsenna noc uśpiły mnie.

10.

Spałam minutę, a może dziesięć minut. Kiedy się obudziłam, wstałam zamroczona. Niebo w moich oczach było białe, taka ciepła biel. Powietrze stało nieruchomo, ścisk wzrósł, panowała wrzawa złożona z ludzkich głosów i muzyki. Pierwszą osobą, która rzuciła mi się w oczy w tym niedzielnym tłumie – jakby ściągnęła mnie myślami – była Nina.

Coś się z nią działo. Powoli i niepewnie błądziła między parasolami, dyszała ciężko. Gwałtownie obróciła głowę w jedną stronę, potem w drugą, jak zaniepokojony ptak. Coś do siebie powiedziała, z miejsca, w którym się znajdowałam, nie mogłam niczego usłyszeć, potem pobiegła do męża, rozłożonego na leżaku pod parasolem.

Mężczyzna skoczył na równe nogi, rozejrzał się. Srogi starzec pociągnął go za ramię, ten się wyrwał, podeszła do niego Rosaria. Wszyscy krewni, mali i duzi, zaczęli rozglądać się wkoło, jakby stali się jednym ciałem, potem ruszyli w różnych kierunkach.

Rozległy się wołania: Elena, Lenuccia, Lena. Rosaria krótkim, szybkim krokiem poszła w stronę morza, jakby nagle musiała się wykąpać. Popatrzyłam na Ninę. Wykonywała bezsensowne ruchy, dotykała czoła, szła w prawo, potem zawracała, szła w lewo. Wyglądała tak, jakby uszło z niej całe życie. Skóra jej pożółkła, w rozbieganych oczach czaił się niepokój i szaleństwo. Nigdzie nie było jej dziewczynki, straciła ją.

Znajdzie się, pomyślałam, miałam doświadczenie w gubieniu się. Moja matka mawiała, że gdy byłam mała, ciągle się gubiłam. Chwila nieuwagi i znikałam, trzeba było biec do baru i prosić, żeby przez głośnik opisano mój wygląd, podano imię i tym podobne, a ona tymczasem stawała przy kasie i czekała. Nic z tego mojego znikania nie pamiętam, we wspomnieniach zostało co innego. Bałam się, że to moja matka gdzieś przepadnie, żyłam w strachu, że nie zdołam jej odnaleźć. Pamiętam za to doskonale, kiedy zgubiła się Bianca. Biegałam po plaży jak Nina, z tym że ja dodatkowo trzymałam wydzierającą się Martę na rękach. Nie wiedziałam, co robić, byłam sama z dwójką małych dzieci, mój mąż przebywał za granicą, nikogo nie znałam. Już jedno dziecko to otchłań niepokoju. Wyryło mi się w pamięci, że wzrokiem szukałam wszędzie, ale nie w morzu, nie ośmieliłam się nawet spojrzeć na wodę.

Spostrzegłam, że Nina robi podobnie. Zaglądała wszędzie, ale rozpaczliwie odwracała się plecami do morza. Wtedy zalało mnie nagłe wzruszenie, zachciało mi się płakać. Od tej chwili nie mogłam już stać z boku, bolało mnie, że tłumy na plaży nawet nie zwróciły uwagi na szaleńcze poszukiwania neapolitańczyków. Są takie niuanse, których żaden artysta nie potrafi odtworzyć, jeden ruch jest pełen światła, inny czarny. Wydawali się tacy niezależni, tacy władczy, a teraz stali się tacy słabi. Tylko Rosaria wzbudziła mój podziw, ona jedna sprawdzała morze. Ze swoim wielkim brzuchem drobiła małymi krokami wzdłuż brzegu. Wtedy wstałam, podeszłam do Niny, dotknęłam jej ramienia. Odwróciła się raptownie jak wąż, krzyknęła: znalazłaś ją, prze-

szła na ty, jakbyśmy się znały, chociaż nie zamie-
niłyśmy ani słowa.

— Ma na głowie twój kapelusz — powiedziałam — znajdzie się, łatwo ją będzie zauważyć.

Popatrzyła na mnie niepewnie, potem skinęła głową, pobiegła w stronę, gdzie przepadł
jej mąż. Biegła jak młoda atletka na wyścigach
o dobry lub zły los.

Ja powolnym krokiem ruszyłam w przeciw-
nym kierunku, wzdłuż pierwszego rzędu parasoli. Czułam się jak Elena albo Bianca, kiedy się
zgubiła, a może po prostu byłam sobą z dzieciństwa, dziewczynką, która teraz wyłania się z nie-
pamięci. Dla dziecka, które gubi się w tłumie
na plaży, wszystko wygląda znajomo, a mimo
to całkiem inaczej. Brakuje mu orientacji, czegoś, co wcześniej pozwalało rozpoznać plażowiczów i parasole. Dziecku wydaje się, że dalej jest
w tym samym miejscu, a mimo to nie wie, gdzie
się znajduje. Dziecko rozgląda się przerażonymi
oczami i widzi to samo morze, tę samą plażę,
tych samych ludzi, tego samego sprzedawcę
świeżych kokosów. A jednak każda rzecz i każda
osoba wygląda obco, dlatego płacze. Dorosłe-
mu, który pyta, co się stało, dlaczego płacze, nie
mówi, że się zgubiło, mówi, że nie może zna-

leźć mamy. Bianca płakała, kiedy ją znaleziono, gdy przyprowadzono do mnie. I ja płakałam, ze szczęścia, bo czułam ulgę, i krzyczałam ze złości – jak moja matka – bo przygniatał mnie ciężar odpowiedzialności, dusiła więź, i szarpałam moją pierworodną wolną ręką, i wrzeszczałam: zapłacisz mi za to, Bianca, już ja ci w domu pokażę, masz się nigdy więcej nie oddalać, nigdy więcej.

Krążyłam przez chwilę, szukając jej pośród samotnych dzieci, w grupie, na rękach u dorosłych. Czułam się otumaniona, miałam lekkie nudności, ale potrafiłam się skupić. Wreszcie dostrzegłam słomiany kapelusz, serce mi podskoczyło. Z daleka wyglądał jak porzucony na piasku, ale pod nim była Elena. Siedziała metr od wody, ludzie obojętnie przechodzili obok, płakała, z jej oczu cicho płynęły łzy. Nie powiedziała, że zgubiła mamę, powiedziała, że zgubiła lalkę. Była zrozpaczona.

Wzięłam ją na ręce, szybkim krokiem ruszyłam w stronę parasoli. Natknęłam się na Rosarię, a ta prawie mi ją wyrwała w porywie entuzjazmu, krzyknęła z radości i zaczęła machać do szwagierki. Nina zobaczyła nas, zobaczyła córkę, podbiegła. Podbiegł także jej mąż i cała reszta, jedni z wydm, inni z różnych zakątków plaży, kolejni od strony wybrzeża. Każdy członek rodziny chciał ucałować i przytulić Elenę, dotknąć jej, chociaż ona nie przestawała płakać, i zakosztować szczęścia zażegnanego niebezpieczeństwa.

Wycofałam się, wróciłam pod swój parasol i zaczęłam zbierać rzeczy, choć nie wybiła jeszcze druga po południu. Nie podobało mi się, że Elena ciągle płacze. Cała grupa radowała się z jej odnalezienia, kobiety odebrały ją matce i przekazywały sobie z rąk do rąk, żeby jakoś ją uspokoić, bez skutku, bo dziewczynki nie dało się ukoić.

Podeszła do mnie Nina. A zaraz za nią także Rosaria – dumna, że jako pierwsza nawiązała ze mną kontakt, że okazałam się taka rezolutna.

– Chciałam pani podziękować – powiedziała Nina.

– Wszyscy najedli się strachu.

– Myślałam, że umrę.

– Moja córka też się zgubiła w sierpniową niedzielę, prawie dwadzieścia lat temu, nic wtedy nie widziałam, niepokój oślepia. W takich przypadkach najbardziej pomocni okazują się obcy ludzie.

– Na szczęście wyście byli – powiedziała Rosaria – tyle się widzi tragedii wkoło. – Jej wzrok musiał paść na moje plecy, bo wykrzyknęła z przerażeniem: – Matko Boska, coście sobie zrobili, co się stało?

– Szyszka w lesie.

– Brzydki siniec, niczym żeście nie posmarowali?

Postanowiła iść po jakąś maść, powiedziała, że działa cuda. Nina i ja zostałyśmy same, docierały do nas głośne krzyki dziewczynki.

– Nie może się uspokoić – powiedziałam.

Nina uśmiechnęła się.

– Pechowy dzień. Ona się znalazła, ale zgubiła się lalka.

– Też się znajdzie.

– Musi, bo jeśli nie, to koniec, rozchoruje mi się.

Nagle poczułam zimno na plecach, Rosaria po cichu zaszła mnie od tyłu i już smarowała swoją maścią.

– I jak?

– Dobrze, dziękuję.

Kontynuowała gorliwie i z delikatnością. Kiedy skończyła, włożyłam sukienkę i chwyciłam za torbę.

– Do jutra – pożegnałam się, chciałam jak najszybciej odejść.

– Zobaczycie, że już wieczorem wszystko minie.

– Jasne.

Jeszcze raz rzuciłam okiem na Elenę, która wyrywała się ojcu z rąk, wołając na przemian to matkę, to lalkę.

– Ruchy – rzuciła Rosaria do szwagierki – znajdźmy tę lakę, bo nie mogę już słuchać jej wycia.

Nina skinęła głową na pożegnanie i pobiegła do córki. Rosaria natomiast od razu przystąpiła do przepytywania dzieci i rodziców i grzebania bez pozwolenia pośród zabawek leżących przy parasolach.

Wspięłam się na wydmy, weszłam do lasu, ale nawet tam dochodziły krzyki dziewczynki. Byłam zmieszana, położyłam rękę na piersiach, żeby uspokoić serce, które waliło jak oszalałe. To ja wzięłam lalkę, miałam ją w torbie.

11.

Uspokoiłam się w drodze do domu. Uświadomiłam sobie, że nie pamiętam chwili, w której dopuściłam się tego błazeńskiego czynu. Błazeńskiego moim zdaniem, bo pozbawionego sensu. Czułam się jak ktoś, kto lekko przerażony i zarazem rozbawiony stwierdza: no popatrz, co mi się przytrafiło.

Musiał mnie dopaść jeden z tych porywów litości, którą bez wyraźnej przyczyny już od dziecka żywiłam wobec ludzi, zwierząt, roślin, przedmiotów. Spodobało mi się to wytłumaczenie, sugerowało coś z założenia szlachetnego. To był instynktowny pęd do niesienia pomocy, pomyślałam. Nena, Nani, Nennella czy jak jej tam było. Zobaczyłam ją porzuconą w piasku, brudną, z twarzą w połowie zasypaną, jakby się dusiła, i wyciągnęłam. Infantylna reakcja, nic specjalnego, nigdy tak naprawdę nie dorastamy. Postanowiłam, że oddam ją następnego dnia. Pójdę wcześnie na plażę, włożę w piasek dokładnie w tym miejscu, w którym Elena ją zostawiła, a potem zrobię tak, żeby sama ją znalazła. Pobawię się chwilę z dziewczynką, w końcu powiem: popatrz, coś tu jest, odkopmy. Zrobiło mi się prawie wesoło.

W domu wyrzuciłam z torby stroje, ręczniki, kremy, ale lalkę zostawiłam na dnie, żeby mieć pewność, że nazajutrz jej nie zapomnę. Wzięłam prysznic, wypłukałam stroje kąpielowe, rozwiesiłam. Przygotowałam sobie sałatkę i zjadłam na balkonie, patrząc na morze, na pianę wokół wulkanicznych cypelków, na zastęp czarnych chmur nadciągających od linii horyzontu. I nagle dotarło do mnie, że zrobiłam coś złego, niechcący, ale jednak złego. Jak wtedy, gdy przez sen odwracamy się na drugi bok i przewracamy lampkę na nocnej szafce. Litość nie ma tu nic do rzeczy, pomyślałam, ani szlachetność. Czułam się jak kropla deszczu, która nieuchronnie spływa po liściu w dół. Szukałam dla siebie usprawiedliwienia, ale go nie znalazłam. Miałam mętlik w głowie, beztroskie miesiące chyba dobiegły końca, bałam się, że znowu powrócą przelotne myśli, natrętne obrazy. Morze stało się jak fioletowa wstęga, podniósł się wiatr. Jak zmienna jest pogoda. Temperatura nagle spadła. Elena pewnie dalej płacze, Nina rozpacza, Rosaria przetrząsnęła każdy milimetr plaży, klan jest w stanie wojny ze wszystkimi letnikami. Papierowa serwetka odfrunęła, sprzątnęłam ze stołu, po raz pierwszy od wielu miesięcy poczułam się samotna. Zobaczyłam, jak w oddali, na morzu, z chmur opada ciemna kurtyna deszczu.

W kilka minut wiatr przybrał na sile, zawył, ocierając się o kamienicę, wdmuchiwał do domu kurz, suche liście, martwe owady. Zamknęłam drzwi na balkon, wzięłam torbę, usiadłam na małej kanapie naprzeciwko okien. Nie potrafiłam nawet wytrwać w postanowieniu. Wyciągnęłam lalkę, w milczeniu obracałam ją w dłoniach. Żadnych ubrań. Ciekawe, gdzie Elena je zostawiła. Była cięższa, niż myślałam, pewnie nabrała wody. Z głowy wychodziły jej rzadkie jasne włosy, zebrane w cienkie kosmyki. Miała zbyt wypukłe policzki, głupie błękitne oczy i małe usta z ciemną dziurką pośrodku. Tułów był długi, brzuch wystający, między grubymi i krótkimi nogami biegła pionowa linia, która ciągnęła się aż za szerokie pośladki.

Miałam ochotę ją ubrać. Pomyślałam, że kupię jej ubranka, będzie to niespodzianka dla Eleny, swego rodzaju zadośćuczynienie. Co znaczy lalka dla dziecka. Ja też miałam taką, z pięknymi lokami, bardzo się o nią troszczyłam, nigdy jej nie zgubiłam. Nazywała się Mina, moja matka mówiła, że ja nadałam jej to imię. Mina, *mammina*, jak mamusia. Na myśl przyszło mi słowo oznaczające lalkę, którego od dawna już się nie używa, *mammuccia*. Moja matka rzadko godziła się na to, co usiłowałam robić z jej ciałem. Szybko się denerwowała, nie lubiła bawić się w lalkę. Śmiała się, wykręcała, złościła. Denerwowała się, gdy próbowałam ją czesać, wplatać wstążki we włosy, myć twarz i uszy, rozbierać i ubierać.

Ja byłam inna. Jako dorosła kobieta starałam się nie zapomnieć, jak wiele cierpienia sprawiał mi fakt, że nie mogłam bawić się włosami, twarzą, ciałem mojej matki. Dlatego cierpliwie robiłam za lalkę dla Bianki podczas jej pierwszych lat życia. Wciągała mnie pod stół w kuchni, kazała się kłaść, to był nasz szałas. Pamiętam, że byłam wykończona: Marta nie spała po nocach, drzemała trochę w dzień, Bianca zaś nieustannie krążyła wokół mnie z żądaniami, nie chciała iść do żłobka, a gdy już udało mi się ją tam zostawić, zaczynała chorować, co jeszcze bardziej komplikowało mi życie. Mimo to starałam się trzymać nerwy na wodzy, chciałam być dobrą matką. Kładłam się na podłodze, pozwalałam się leczyć. Bianca podawała mi lekarstwa, myła zęby, czesała mnie. Czasami zasypiałam, ale ona była mała, nie umiała posługiwać się grzebieniem i kiedy szarpała mnie za włosy, budziłam się znienacka. W takich chwilach oczy aż łzawiły z bólu.

W tamtych latach byłam bardzo przygnębiona. Nie miałam czasu na naukę, bawiłam się bez radości, moje ciało było wyzute z pragnień, z życia. Kiedy Marta zaczynała płakać w drugim pokoju, odbierałam to jako wyzwolenie. Przerywałam brutalnie zabawę Bianki, ale czułam się niewinna, bo to nie ja uciekałam, lecz moja młodsza córka odrywała mnie od starszej. Muszę iść do Marty, zaraz wracam, poczekaj. Ona wtedy zaczynała płakać.

W momencie, gdy poczułam szeroko rozumianą nieadekwatność, postanowiłam dać Minę Biance, wydawało mi się, że to piękny gest, dobry sposób na ukojenie jej zazdrości o młodszą siostrę. Dlatego z kartonowego pudła leżącego na szafie wygrzebałam starą lalkę i powiedziałam do Bianki: popatrz, ma na imię Mina, mama ją miała, gdy była mała, weź ją. Myślałam, że ją pokocha, byłam pewna, że będzie się nią bawić tak, jak bawiła się ze mną. Ona jednak rzuciła ją w kąt, Mina jej się nie podobała. Wolała starą, brzydką szmacianą lalkę z żółtymi włosami z włóczki, dostała ją od ojca po jego powrocie nie wiadomo skąd. Bardzo mnie to zabolało.

Pewnego dnia Bianca bawiła się na balkonie, to było jej ulubione miejsce. Pozwalałam jej na to, jak tylko przychodziła wiosna, nie miałam czasu wychodzić z nią na spacer, chciałam jednak, żeby zażywała powietrza i słońca, chociaż od ulicy dochodził hałas samochodów i silny smród spalin. Od miesięcy nie otwierałam książki, byłam wykończona i wściekła, ciągle brakowało mi pieniędzy, mało sypiałam. Zobaczyłam, że Bianca siedzi na Minie, jak na stołku, i bawi się swoją lalką. Powiedziałam, że ma natychmiast wstać, że nie wolno jej niszczyć pamiątki po moim dzieciństwie, że jest bardzo zła i niewdzięczna. Tak właśnie powiedziałam, niewdzięczna, i wykrzyczałam – wydaje mi się, że krzyczałam – że popełniłam błąd, dając jej tę lalkę, że jest moja i ją zabieram.

Ileż to rzeczy mówi się i robi dzieciom w czterech ścianach domów. Bianca miała nieprzystępny charakter, zawsze taka była, tłamsiła w sobie strach i uczucia. Dalej siedziała na Minie, rzuciła tylko, wyraźnie artykułując każde słowo, jak robi do dzisiaj, kiedy swoją wolę ogłasza jako wyrok ostateczny: nie, ona jest moja. Wtedy ją popchnęłam, miała trzy lata, ale w tamtej chwili wydawała mi się starsza, silniejsza ode mnie. I dopiero kiedy wyrwałam jej Minę, w jej oczach zobaczyłam przerażenie. Zauważyłam, że zdjęła jej wszystkie ubranka, nawet skarpetki i buciki, i całą pomalowała pisakami, od stóp do głów. Tę szkodę dałoby się naprawić, chociaż ja wtedy myślałam, że to niemożliwe. W tamtych latach na nic nie było dla mnie rady, dla mnie samej jej nie było. Wyrzuciłam lalkę przez balkon.

Patrzyłam, jak leci w dół na asfalt, i czułam okrutną radość. Gdy tak spadała, wyglądała paskudnie. Nie wiem, jak długo stałam oparta o barierkę i obserwowałam, jak rozjeżdżają ją samochody. Potem zdałam sobie sprawę, że Bianca również patrzy, na kolanach, z czołem opartym o metalowe pręty. Wzięłam ją więc na ręce, nie stawiała oporu. Długo ją całowałam, tuliłam, jakbym chciała na powrót mieć ją w sobie. Mamo, to boli, boli mnie. Zostawiłam lalkę Eleny na kanapie, na plecach, brzuchem do góry.

Burza nadciągnęła gwałtownie, oślepiające pioruny waliły jeden po drugim, a grzmoty rozbrzmiewały jak eksplozje aut wypełnionych trotylem. Pobiegłam zamknąć okna w sypialni, zanim deszcz zaleje wszystko, zapaliłam lampkę na komódce. Położyłam się na łóżku, poprawiłam poduszki na oparciu i z zapałem zabrałam się za robienie notatek.

Czytanie i pisanie to mój sposób na uspokojenie.

12.

Od pracy oderwało mnie bladoróżowe światło, przestało padać. Trochę czasu poświęciłam na makijaż, ubrałam się starannie. Chciałam wyglądać stosownie, być w doskonałym porządku. Wyszłam.

Ulice w niedzielę były mniej zatłoczone i hałaśliwe niż w sobotę, kończył się nadzwyczajny weekendowy napływ ludności. Przespacerowałam się po bulwarach i skierowałam do restauracji położonej tuż obok krytego bazaru. Natknęłam się na Gina, ubrany był tak jak na plaży, prawdopodobnie stamtąd wracał. Grzecznie skinął głową i chciał iść dalej, ja jednak przystanęłam, więc i on musiał.

Czułam potrzebę, by usłyszeć własny głos, skontrolować go przez pryzmat rozmówcy.

Zapytałam o to, co się stało na plaży, o burzę. Odparł, że przeszła nawałnica, że silny wiatr powyrywał parasole. Ludzie schronili się w kompleksie, w barze, ale zrobił się tłok, większość zrezygnowała, plaża opustoszała.

– Dobrze, że pani wcześniej wróciła.

– Ja lubię burze.

– Książki i zeszyty by się zniszczyły.

– Twoja książka zamokła?

– Trochę.

– Co studiujesz?

– Prawo.

– Ile ci brakuje do końca?

– Mam tyły, straciłem sporo czasu. Czy pani wykłada na uniwersytecie?

– Tak.

– Co?

– Literaturę angielską.

– Widziałem, że zna pani wiele języków.

Roześmiałam się.

– Niczego tak naprawdę dobrze nie znam, ja też straciłam sporo czasu. Na uniwersytecie pracuję po dwanaście godzin dziennie i wszyscy traktują mnie jak służącą.

Przeszliśmy kawałek razem, odprężyłam się. Mówiłam o wszystkim i o niczym, aby poczuł się swobodniej, i jednocześnie spoglądałam na siebie z zewnątrz, ja – dobrze ubrana pani, on – brudny od piasku, w spodenkach, koszulce, klapkach. Dobrze się bawiłam, spotkanie sprawiło mi przyjemność, gdyby Bianca i Marta teraz mnie zobaczyły, przez lata szydziłyby ze mnie.

Z pewnością był w ich wieku: czyjś syn, smukły i nerwowy, proszący się o opiekę. Gdy byłam nastolatką, podobali mi się młodzieńcy o takiej sylwetce, wysocy, szczupli, ciemni jak chłopcy Marty, a nie mali, nieco krępi i otyli blondyni Bianki, zawsze starsi od niej, z żyłami błękitnymi jak oczy. Mimo to darzyłam miłością pierwszych chłopców moich córek, nagradzałam ich przesadnym uczuciem. Być może pragnęłam im w ten sposób odpłacić za to, że dostrzegli w nich piękno, wartościowe cechy i w ten sposób wyrwali ze szponów obawy, że są brzydkie, z przekonania, że nie ma w nich siły uwodzenia. A może chciałam im wynagrodzić to, że w samą porę ocalili mnie od chandr i konfliktów, i użalania się, i konieczności ich uspokajania: jestem brzydka, jestem gruba; ale ja też w waszym wieku czułam się brzydka i gruba; nie, ty nie byłaś brzydka i gruba, ty byłaś piękna; wy też jesteście piękne, nawet nie widzicie, że inni się za wami oglądają; nie oglądają się za nami, tylko za tobą.

Na kim skupiały się pożądliwe spojrzenia? Kiedy Bianca miała piętnaście lat, a Marta trzynaście, ja nie dobiegłam jeszcze czterdziestki. Ich dziecięce ciała zaokrągliły się prawie jednocześnie. Przez pewien czas nadal sądziłam, że męskie spojrzenia na ulicy zwrócone są w moją stronę, jak przez ostatnie dwadzieścia pięć lat, przyzwyczaiłam się do nich, zaakceptowałam je. Potem zdałam sobie sprawę, że suną po mnie bezwstydnie, by zatrzymać się na nich, i się zaniepokoiłam, ale i ucieszyłam, aż w końcu powiedziałam sobie z ironiczną melancholią: pewien etap dobiegł końca.

Wtedy właśnie zaczęłam bardziej dbać o siebie, chciałam zachować ciało, do którego przywykłam, zapobiec jego przemianie. Gdy w domu zjawiali się przyjaciele córek, starałam się zaprezentować z jak najlepszej strony. Widziałam ich tylko przez chwilę, kiedy wchodzili i wychodzili, żegnając się ze skrępowaniem, a mimo to bardzo uważałam na to, jak wyglądam, jak się zachowuję. Bianca od razu wciągała ich do swojego pokoju, Marta do swojego, a ja zostawałam sama. Chciałam, aby moje córki były kochane, nie mogłam znieść myśli, że mogłoby być inaczej, przerażała mnie ich ewentualna rozpacz; ale zmysłowość, jaka od nich biła, bywała tak gwałtowna i łapczywa, że czułam się, jakby ich ponętne ciała odbierały ponętność mojemu. Dlatego cieszyło mnie, kiedy ze śmiechem mówiły, że chłopcy uważają mnie za młodą i atrakcyjną matkę. Wtedy przez kilka minut wydawało mi się, że nasze trzy organizmy osiągnęły satysfakcjonujące porozumienie.

Raz jednak potraktowałam z przesadną kokieterią pewnego kolegę Bianki, piętnastolatka o wiecznie nasrożonej, ponurej i wulgarnej twarzy. Kiedy sobie poszedł, zawołałam córkę. Stanęła więc w drzwiach pokoju, a za nią z ciekawości zaglądała też Marta.

– Czy deser smakował twojemu koledze?

– Tak.

– Miałam jeszcze dodać czekoladę, ale nie zdążyłam, będzie na następny raz.

– Pytał, czy następnym razem zrobisz mu loda.

– Jak ty się odzywasz, Bianca?

– To jego słowa.

– Nieprawda.

– Prawda.

Stopniowo zaczęłam ustępować. Nauczyłam się być obecna tylko, jeśli one chciały mojej obecności, i odzywać się jedynie wtedy, gdy mnie o to prosiły. Tego ode mnie oczekiwały i ja im to dałam. Nigdy jednak nie zrozumiałam, czego ja od nich oczekuję, nie wiem tego po dzień dzisiejszy.

Spojrzałam na Gina i pomyślałam: zapytam, czy zje ze mną kolację. Pomyślałam też: znajdzie jakąś wymówkę, trudno. On jednak powiedział nieśmiało:

— Powinienem wziąć prysznic, coś na siebie włożyć.

— Tak jest dobrze.

— Nie mam przy sobie nawet portfela.

— Ja zapraszam.

Przez całą kolację Gino wysilał się, by podtrzymać konwersację, usiłował nawet mnie rozśmieszyć, ale niewiele mieliśmy ze sobą wspólnego. Wiedział, że powinien mnie zabawiać między jednym kęsem a drugim, wiedział, że powinien unikać dłuższego milczenia, i robił, co mógł, jak zabłąkane zwierzę podejmował różne tropy.

O sobie miał niewiele do powiedzenia, chciał, żebym to ja mówiła. Ale zadawał suche pytania, a w jego oczach wyczytałam, że tak naprawdę nie obchodzą go moje odpowiedzi. I chociaż usiłowałam mu pomóc, szybko wyczerpaliśmy tematy.

Najpierw zainteresował się tym, co właśnie robię, powiedziałam, że przygotowuję kurs na przyszły rok.

– O czym?

– O *Olivii*.

– Co to takiego?

– Opowieść.

– Długa?

Lubił krótkie kursy, zły był na profesorów, którzy każą czytać mnóstwo książek, żeby pokazać, że ich egzamin jest najważniejszy. Miał śnieżnobiałe duże zęby, szerokie usta. Jego oczy były małe, jak dwie szparki. Ciągle gestykulował, śmiał się. O *Olivii* nie wiedział nic, nic o tym, co mnie fascynuje. Jak moje córki, które gdy dorosły, ostrożnie trzymały się z dala od moich zainteresowań, wybrały nauki ścisłe, fizykę, jak ojciec.

Trochę o nich opowiedziałam, same dobre rzeczy, ale ironicznym tonem. W końcu przeszliśmy do jedynych spraw, które nas łączyły: plaży, kąpieliska, jego pracodawcy, plażowiczów.

Mówił o cudzoziemcach, prawie zawsze uprzejmych, i o Włochach, pełnych roszczeń i aroganckich. Z sympatią wyrażał się o Afrykańczykach, o dziewczętach ze Wschodu, które krążyły od parasola do parasola. Ale dopiero gdy zaczął opowiadać o Ninie i jej rodzinie, zrozumiałam, po co tak naprawdę siedzę z nim w restauracji.

Wspomniał o lalce, o rozpaczy dziewczynki.

– Po burzy zajrzałem w każdą dziurę, godzinę temu skończyłem przeczesywać plażę, nigdzie jej nie widziałem.

– Znajdzie się.

– Mam taką nadzieję, zwłaszcza ze względu na matkę, uwzięli się na nią, jakby to była jej wina.

Mówił o Ninie z podziwem.

– Przyjeżdża tu na wakacje, od kiedy urodziła córkę. Jej mąż wynajmuje dom na wydmach. Z plaży go nie widać. Stoi w lesie. Piękne miejsce.

Powiedział, że to porządna dziewczyna, skończyła liceum i nawet poszła na uniwersytet.

– Ma ujmującą powierzchowność – dodałam.

– Tak, jest ładna.

Z tego, co mówił, wywnioskowałam, że roz-
mawiali ze sobą kilka razy i ona mu powiedziała,
że chce wrócić na studia.

— Jest tylko o rok ode mnie starsza.

— Ma dwadzieścia pięć lat?

— Dwadzieścia trzy, ja mam dwadzieścia
dwa lata.

— Jak moja córka Marta.

Gino zamilkł na chwilę, zmarszczył nieład-
nie brwi i wyrzucił z siebie:

— Widziała pani jej męża? Czy wydałaby
pani córkę za kogoś takiego?

Zapytałam z drwiną:

— Co jest z nim nie tak?

Pokręcił głową, odparł poważnym tonem:

— Wszystko. On, jego przyjaciele i krewni.
Ma nieznośną siostrę.

— Dama w ciąży? Rosaria?

— Dama? Lepiej z nią nie zadzierać. Bardzo
mi pani wczoraj zaimponowała, kiedy nie zmieniła pani parasola. Ale proszę więcej takich rzeczy nie robić.

— Dlaczego?

Młodzieniec wzruszył ramionami i pokręcił
głową z niezadowoleniem.

— To źli ludzie.

13.

Wróciłam do domu koło północy. W końcu znaleźliśmy wspólny temat i czas szybko minął. Dowiedziałam się od Gina, że gruba i szara kobieta to matka Niny. Dowiedziałam się też, że starszy srogi pan ma na imię Corrado i nie jest ojcem dziewczyny, ale mężem Rosarii. To było tak, jakbym rozmawiała o filmie, który obejrzałam, nie rozumiejąc dobrze relacji, jakie łączą poszczególne postaci, czasami nawet nie znając ich imion. Kiedy się żegnaliśmy, miałam już nieco więcej pojęcia na ten temat. Tylko o mężu Niny dalej niewiele wiedziałam, Gino powiedział, że ma na imię Toni, że przyjeżdża co sobotę i wyjeżdża w poniedziałek rano. Zrozumiałam, że chłopak go nie cierpi, że nie ma nawet ochoty o nim rozmawiać.

Mnie zresztą ten człowiek niewiele interesował.

Gino grzecznie poczekał, aż drzwi wejściowe zamkną się za mną. Weszłam na trzecie piętro po słabo oświetlonych schodach. To źli ludzie, powiedział. Co mogą mi zrobić? Wkroczyłam do mieszkania, zapaliłam światło i zobaczyłam leżącą na kanapie lalkę z rękami wzniesionymi do sufitu, z rozłożonymi nogami, z głową odwróconą w moją stronę. Neapolitańczycy przeszukali całą plażę, żeby ją znaleźć, Gino zawzięcie grabił piasek. Pokręciłam się po pomieszczeniach, słychać było tylko brzęczenie lodówki w kuchni, nawet miasteczko się uspokoiło. W łazienkowym lustrze zobaczyłam swoją napiętą twarz, podpuchnięte oczy. Włożyłam czystą koszulkę i przygotowałam się do snu, chociaż nie byłam zmęczona.

Spędziłam z Ginem miły wieczór, mimo to czułam niezadowolenie. Otworzyłam na oścież drzwi na balkon, powiało świeżym morskim powietrzem, niebo było bezgwiezdne. Nina mu się podoba, pomyślałam, trudno tego nie zauważyć. Fakt ten, zamiast mnie rozczulić czy rozbawić, dodatkowo zniechęcił do dziewczyny, jakby ta, pokazując się codziennie na plaży i przyciągając uwagę Gina, okradała mnie z czegoś.

Odsunęłam lalkę i położyłam się na kanapie. Z przyzwyczajenia zaczęłam się zastanawiać, która z moich córek bardziej przypadłaby Ginowi do gustu, gdyby je poznał. Gdy Bianca i Marta zaczęły dorastać, ogarnęła mnie mania konfrontowania ich z rówieśniczkami, z przyjaciółkami, z tymi koleżankami ze szkoły, które uważano za ładne i które cieszyły się powodzeniem. W głębi ducha traktowałam je jako rywalki moich dziewcząt, jakby przez sam fakt, że wyróżnia je pewność siebie, sztuka uwodzenia, wdzięk i inteligencja, pozbawiały je czegoś i w niejasny sposób również mnie. Pilnowałam się, byłam życzliwa i jednocześnie ukradkiem usiłowałam pokazać, że nie są tak piękne jak moje córki, a jeśli były – że są niesympatyczne i puste: wyliczałam ich kaprysy, głupotę, chwilowe defekty na rozwijającym się ciele. Czasami, kiedy Bianca i Marta cierpiały, bo czuły się nijakie, nie wytrzymywałam i ostro krytykowałam ich zbyt swobodne, zbyt pociągające, zbyt kokieteryjne przyjaciółki.

Gdy Marta miała czternaście lat, przyjaźniła się ze szkolną koleżanką Florindą. Florinda, choć były rówieśniczkami, nie wyglądała jak dziewczynka, lecz jak w pełni ukształtowana kobieta, i na dodatek piękna. Widziałam, jak każdy jej gest, każdy uśmiech rzuca cień na moją córkę, i cierpiałam na myśl, że razem chodzą do szkoły, na imprezy, razem jeżdżą na wycieczki; byłam przekonana, że dopóki moja córka będzie się z nią zadawać, życie będzie przechodzić jej koło nosa.

Ale Marcie bardzo zależało na przyjaźni Florindy, była nią zafascynowana i wydawało się, że trudno będzie je rozdzielić. Początkowo pocieszałam ją w stanach przygnębienia, trzymając się ogólników, ani razu nie wymieniłam imienia Florindy. Bez końca powtarzałam Marcie: jesteś piękna, jesteś miła, masz takie mądre oczy, przypominasz babcię, a ona była prześliczna. Daremny wysiłek. Marta uważała się za mniej atrakcyjną nie tylko od przyjaciółki, ale również od siostry, od wszystkich, a moje słowa dodatkowo ją deprymowały, twierdziła, że mówię tak, bo jestem jej matką, bywało, że mruczała pod nosem: nie chcę cię słuchać, ty nie widzisz, jaka naprawdę jestem, daj mi spokój, zajmij się swoimi sprawami.

W tamtym czasie żyłam w ciągłym napięciu, miałam wyrzuty sumienia, a one wywoływały bóle żołądka. Byłam przekonana, że wszystkie kłopoty moich córek wynikają z mojej niedoskonałej miłości. Dlatego stałam się jeszcze bardziej natrętna. Powtarzałam Marcie: naprawdę bardzo przypominasz moją matkę, i dawałam siebie za przykład, opowiadałam: kiedy byłam w twoim wieku, też myślałam, że jestem brzydka, że moja matka jest piękna, a ja nie. Wtedy Marta ze zniecierpliwieniem dawała mi do zrozumienia, że najlepiej będzie, jeśli zamilknę.

Doszło do tego, że podczas takiego pocieszania sama stawałam się coraz mniej pocieszona. Zastanawiałam się: ciekawe, w jaki sposób reprodukuje się piękno. Doskonale pamiętałam, że w wieku Marty byłam święcie przekonana, iż moja matka w chwili porodu odsunęła się ode mnie z obrzydzeniem, tak jak człowiek, który ma nudności, odsuwa od siebie talerz. Podejrzewałam, że zaczęła mnie unikać jeszcze w ciąży. Wszyscy jednak powtarzali, że jestem do niej bardzo podobna. Podobieństwo było, ale moim zdaniem zdeformowane. Nie uspokoiło mnie nawet odkrycie, że podobam się mężczyznom. Ona rozsiewała wokół siebie witalne ciepło, ja natomiast czułam się zimna, jakby moje żyły były z metalu. Chciałam być jak ona nie tylko w statyczności lustra czy fotografii. Pragnęłam posiąść jej eteryczność, umiejętność emanowania nią na ulicach miasta, w metrze czy w kolejce linowej, w sklepach, na oczach obcych ludzi. Żadne narzędzie służące do reprodukcji nie jest w stanie uchwycić takiej magicznej aury. Nawet brzemienny brzuch nie potrafi dokładnie jej odwzorować.

A Florinda taką właśnie aurę posiadała. Kiedy pewnego deszczowego popołudnia ona i Marta wróciły ze szkoły i w grubym obuwiu wparowały do przedpokoju, do salonu, nie dbając o to, że moczą podłogę i wnoszą błoto, a potem ruszyły do kuchni, wzięły ciastka, zaczęły je sobie wesoło wyrywać i jeść, rozsypując po całym mieszkaniu okruszki, poczułam do tej wspaniałej, pewnej siebie nastolatki niepohamowaną niechęć. Powiedziałam: Florindo, czy w swoim domu też się tak zachowujesz? Za kogo ty się uważasz? Teraz, moja droga, pozamiatasz i umyjesz całe mieszkanie, nie wyjdziesz stąd, dopóki nie skończysz. Dziewczyna myślała, że żartuję, ale ja wzięłam miotłę, wiadro, szmatę i musiałam mieć straszną minę, bo tylko wymamrotała: Marta też nabrudziła. Marta próbowała jej bronić: to prawda, mamo, ale rzuciłam coś ostro i tak kategorycznie, że obie natychmiast zamilkły. Przestraszona Florinda przykładnie wyczyściła podłogę.

Moja córka tylko się przyglądała. Potem zamknęła się w pokoju, przez wiele dni nie odzywała do mnie. Ona nie jest jak Bianca: jest wrażliwa, przy najmniejszej zmianie tonu poddaje się, wycofuje bez walki. Florinda powoli zniknęła z jej życia, czasami pytałam, jak jej się układa z przyjaciółką, odburkiwała coś na odczepnego albo tylko wzruszała ramionami.

Moje niepokoje za to nie zniknęły. Obserwowałam córki, kiedy tego nie widziały, czułam do nich na przemian to sympatię, to antypatię. Myślałam sobie czasami, że Bianca jest odpychającą osobą, i bolało mnie to. Potem odkrywałam, że jest bardzo lubiana, że ma wielu przyjaciół, uświadamiałam sobie, że tylko ja, jej matka, uważam ją za antypatyczną, i robiło mi się wstyd. Nie podobał mi się jej szyderczy chichot. Nie podobała mi się jej mania, by żądać zawsze więcej niż inni: przy stole, na przykład, nakładała sobie największe porcje, nie dlatego, że była głodna, lecz żeby mieć pewność, że nic jej nie ominie, że nikt o niej nie zapomni albo jej nie oszuka. Nie podobało mi się jej uparte milczenie, kiedy czuła, że popełniła błąd, ale nie potrafiła się do niego przyznać.

Ty też taka jesteś, mawiał mój mąż. Może miał rację, może to, co odpychało mnie u Bianki, było jedynie odzwierciedleniem tego, co wzbudzało u mnie wstręt wobec samej siebie. A może nie, niełatwo to ocenić, wszystko jest takie poplątane. Nawet kiedy dostrzegałam w dziewczętach cechy, które u siebie uznawałam za przymioty, czułam, że coś jest nie tak. Miałam wrażenie, że nie potrafią zrobić z nich użytku, że to, co we mnie najlepsze, w ich ciałach wygląda jak omyłkowy przeszczep, parodia, i złościłam się, wstydziłam.

W rzeczywistości, jeśli dobrze się zastanowić, bardzo kochałam w moich córkach to, co było dla mnie obce. Najbardziej podobały mi się te cechy, które odziedziczyły po ojcu, nawet kiedy nasze małżeństwo burzliwie dobiegło końca. Albo te po przodkach, o których nic nie wiedziałam. Albo te, które wyglądały na dziwną inwencję losu podczas łączenia się organizmów. Jednym słowem im mniejszą odpowiedzialność za ich ciała ponosiłam, tym bardziej były mi bliskie.

Ale ta obca bliskość zdarzała się rzadko. Ich kłopoty, bóle, konflikty nieustannie dawały mi się we znaki i rozgoryczały mnie, czułam się winna. W pewnym sensie zawsze stawałam się początkiem i ujściem dla ich cierpień. Ich oskarżenia były albo milczące, albo wykrzyczane. Córki miały mi za złe nieuczciwy podział nie tylko jawnych podobieństw, ale również tych ukrytych przed wzrokiem, tych, o których dowiadujemy się późno, owej odurzającej jak alkohol aury właśnie. Ledwo słyszalnego odcienia głosu. Przelotnego gestu, sposobu mrugania, grymasu ust. Kroku, ramienia lekko przechylonego na lewo, wdzięcznego kołysania rękami. Nienamacalnej mieszanki nieznacznych ruchów, które połączone w określony sposób czynią Biancę uwodzicielską, a Martę nie albo na odwrót, i są źródłem pychy, bólu. Albo nienawiści, bo moc matki zawsze udziela się w sposób niesprawiedliwy już podczas życia w łonie.

Zdaniem obydwu dziewcząt już wtedy postąpiłam okrutnie. Jedną potraktowałam jak córkę, drugą jak pasierbicę. Biance dałam wielki biust, Marta jest płaska jak chłopiec i nie dociera do niej, że właśnie taka jest prześliczna, używa biustonoszy push-up, choć to upokarzające oszustwo. Cierpię, gdy patrzę, jak ona cierpi. Kiedy byłam młoda, miałam duży biust, ale zmalał po narodzinach pierwszej córki. Wszystko, co najlepsze, przekazałaś Biance, powtarza mi w kółko, mnie zostało to, co najgorsze. Taka jest Marta, broni się, bo czuje, że została oszukana.

Bianca jest inna, Bianca od dziecka ze mną walczy. Próbuje wyłudzić ode mnie tajemnicę pewnych umiejętności, które w jej oczach wydawały się cudowne, i udowodnić, że też je posiada. To ona powiedziała mi, że gdy obieram owoce, tak obracam nożem, żeby nie zerwać skórki. Dopiero jej podziw mi to uświadomił, wcześniej nigdy nie zwróciłam na to uwagi, nie wiem, od kogo się tego nauczyłam, może to tylko efekt mojego upartego zamiłowania do ambitnej i dokładnie wykonanej pracy. Mamo, zrób węża, mówiła, i nalegała: obierz jabłko tak, żeby powstał wąż, proszę cię. *Haciendo serpentinas*: niedawno znalazłam to w wierszu Maríi Guerry, którą bardzo lubię. Bianca była oczarowana serpentynami ze skórki, uważała je za magiczną sztuczkę, jedną z wielu, do których byłam w jej oczach zdolna. Wzruszam się, gdy sobie o tym przypomnę.

Pewnego ranka poważnie się skaleczyła w palec, bo chciała mi pokazać, że ona też umie zrobić węża. Miała pięć lat i bardzo płakała, polała się krew, polały się łzy rozczarowania. Wystraszyłam się, krzyczałam, że nie mogę zostawić jej nawet na chwilę, że w ogóle nie mam czasu dla siebie. W tamtym okresie czułam, że się duszę, wydawało mi się, że zdradzam samą siebie. Długo nie chciałam pocałować jej rany, dać całusa, który leczy ból. Pragnęłam ją nauczyć, że nie wolno tego robić, że to niebezpieczne, że tylko mama może, bo jest duża. Mama.

Biedne istotki, które wyszły z mojego brzucha, same po drugiej stronie świata. Posadziłam sobie lalkę na kolanach, niby dla towarzystwa. Po co ją wzięłam? Strzegła miłości Niny i Eleny, ich więzi, ich wzajemnego uczucia. Była namacalnym świadectwem pogodnego macierzyństwa. Położyłam ją sobie na piersi. Ileż zmarnowanych, utraconych chwil mam za sobą, a mimo to nadal obecnych w wirze wspomnień. Poczułam wyraźnie, że nie chcę oddawać Nani, mimo że miałam wyrzuty sumienia i bałam się ją zatrzymać. Pocałowałam ją w twarz, w usta, przytuliłam, tak jak robiła to Elena. Lalka zabulgotała wrogo, jakby coś mówiła, i wyplula ciemną ślinę, która pobrudziła mi usta i koszulkę.

14.

Spałam na kanapie przy otwartych drzwiach na balkon, obudziłam się późno, z ciężką głową i łamaniem w kościach. Minęła dziesiąta, padało, silny wiatr wzbudzał fale. Poszukałam lalki, ale nigdzie jej nie widziałam. Ogarnął mnie strach, jakby istniała możliwość, że w nocy wyskoczyła przez balkon. Rozejrzałam się wkoło, pomacałam pod kanapą, przestraszyłam się, że może ktoś wszedł do mieszkania i ją zabrał. Znalazłam ją w kuchni na stole, siedziała w cieniu. Pewnie ją tam zaniosłam, kiedy poszłam wypłukać usta i koszulkę.

Nie pójdę na plażę, zrobiło się brzydko. Postanowienie, by oddać dzisiaj Elenie lalkę, wydało mi się nie tylko słabe, ale i niewykonalne. Wyszłam zjeść śniadanie, kupić gazety, a także coś na obiad i kolację.

W miasteczku panował ruch typowy podczas pochmurnych dni, letnicy robili zakupy albo spacerowali, by zabić czas. Na bulwarach natknęłam się na sklep z zabawkami i w głowie znowu pojawiła się myśl, żeby kupić dla lalki ubranka, tak czy siak tego dnia zostanie ze mną.

Weszłam poniekąd dla zabawy, zamieniłam kilka zdań z młodziutką i bardzo usłużną ekspedientką. Wyszukała majtki, skarpetki, buciki i niebieską sukienkę – wszystko w odpowiednim rozmiarze. Włożyłam paczuszkę do torby i już miałam wychodzić, kiedy prawie wpadłam na Corrada, starszego pana o srogiej minie, męża Rosarii, tego, którego wzięłam za ojca Niny. Był elegancko ubrany w błękitny garnitur, śnieżnobiałą koszulę, żółty krawat. Chyba mnie nie poznał, ale tuż za nim nadeszła Rosaria w ciążowych ogrodniczkach o bladozielonym odcieniu, od razu mnie rozpoznała i zawołała:

– Pani Leda, jak się macie, wszystko w porządku, maść pomogła?

Podziękowałam, powiedziałam, że wszystko się zagoiło. Z przyjemnością, wręcz z poruszeniem zauważyłam, że zbliżała się również Nina.

Spotkanie elegancko ubranych osób, które dotychczas widzieliśmy tylko na plaży, robi zaskakujące wrażenie. Corrado i Rosaria wyglądali na spiętych, byli sztywni jak figury wycięte z kartonu. Nina zaś przypominała muszlę o miękkich kolorach, która strzeże w swoim wnętrzu bezbarwnego i czujnego mięczaka. Tylko Elena wyglądała niedbale, trzymała się kurczowo szyi matki i ssała kciuk. Chociaż miała na sobie śliczną białą sukienkę, bił od niej nieład: sukienka była poplamiona lodami czekoladowymi i nawet kciuk w ustach miał obwódkę z brązowej, lepkiej śliny.

Popatrzyłam na dziewczynkę ze skrępowaniem. Położyła głowę na ramieniu Niny, ciekło jej z nosa. Ubranka dla lalki w torebce nagle stały się cięższe, pomyślałam: to dobra okazja, powiem, że ja mam Nani. Ale coś mną w środku gwałtownie szarpnęło, zapytałam więc tylko z udawaną troską:

– Jak się czujesz, malutka, znalazłaś swoją lalkę?

Dziewczynka aż się zatrzęsła ze złości, wyjęła palec z buzi i spróbowała mnie uderzyć pięścią. Zrobiłam unik, ona z urazą schowała twarz w szyi matki.

– Eleno, nie wolno tak się zachowywać, odpowiedz pani – skarciła ją Nina nerwowo –

powiedz, że jutro znajdziemy Nani a dzisiaj kupimy ładniejszą lalkę.

Dziewczynka jednak potrząsnęła głową, a Rosaria wysyczała: niech choroba zeżre mózg temu, kto ją ukradł. Powiedziała to takim tonem, jakby również istota w jej brzuchu oburzała się na podobną zniewagę, dlatego ma prawo czuć się nawet bardziej urażona niż Nina. Corrado pokręcił głową z dezaprobatą. Dzieci już takie są, wymamrotał, spodoba się jakaś zabawka, wezmą ją, a potem mówią rodzicom, że znalazły przez przypadek. Z bliska wcale nie wyglądał staro, a już na pewno nie tak groźnie jak z daleka.

— Dzieci Carruna to nie dzieci — odparła Rosaria.

A Nina rzuciła z silniejszym niż zazwyczaj dialektalnym akcentem:

— Zrobili to specjalnie, matka ich namówiła, żeby mnie zadać cios.

— Tonino dzwonił, dzieci niczego nie zabrały.

— Carruno kłamie.

— Nawet jeśli kłamie, nie wolno ci tak mówić — skarcił ją Corrado. — Co zrobi twój mąż, jeśli ci uwierzy?

Nina popatrzyła z urazą w asfalt. Rosaria pokręciła głową i zwróciła się do mnie w poszukiwaniu zrozumienia.

– Mój mąż jest zbyt dobry, nie wiecie, ile łez wylała ta biedna istota, dostała gorączki, jesteśmy wykończeni.

Zrozumiałam, że winą za zniknięcie lalki obarczyli niejakich Carrunów, prawdopodobnie rodzinę z motorówki. Doszli do oczywistego dla siebie wniosku, że tamci posłużyli się cierpieniem dziewczynki, żeby im zadać cios.

– Mała źle oddycha – Rosaria zwróciła się do Eleny. – Wydmuchaj nosek, złotko – mówiąc to, rozkazującym gestem zażądała chusteczek. Już zaczęłam otwierać zamek błyskawiczny w torbie, ale nagle się powstrzymałam, przeraziłam się, że mogą zobaczyć, co kupiłam, zadawać pytania. Mąż ochoczo podał żonie chusteczkę, ona wytarła dziewczynce nos, ta się wykręcała i kopała nogami. Zamknęłam torbę, sprawdziłam, czy dobrze, z niepokojem zerknęłam na sprzedawczynię. Głupie obawy, byłam na siebie zła. Zapytałam Ninę:

– Wysoką ma gorączkę?

– Kilka kresek – odpowiedziała – nic takiego. I żeby udowodnić, że stan Eleny jest dobry, spróbowała z wymuszonym uśmiechem postawić ją na nogi.

Dziewczynka energicznie odmówiła. Uczepiła się szyi matki, jakby wisiała nad przepaścią, krzyczała, odpychała się od ziemi przy najlżejszym kontakcie, wierzgała nogami. Przez chwilę Nina trwała w niewygodnej pozycji, pochylona do przodu, trzymając córkę w pasie, próbowała odczepić ją od siebie i jednocześnie robiła uniki przed kopniakami. Czułam, że balansuje między cierpliwością a zdenerwowaniem, zrozumieniem a chęcią, by się rozpłakać. Gdzie podziała się idylla, na jaką patrzyłam na plaży? Dostrzegłam u niej rozdrażnienie, że na tę scenę muszą patrzeć obcy. Najwyraźniej od wielu godzin próbowała uspokoić dziecko, bezskutecznie, i była wykończona. Przed wyjściem z domu przyodziała wybuchy córki w piękną sukienkę, w piękne buciki. Sama włożyła cienką sukienkę w kolorze wina, bardzo twarzowym, spięła włosy, założyła kolczyki, które ocierały się o wydatną szczękę i kołysały przy długiej szyi. Chciała zareagować na przygnębienie, podnieść się na duchu. Usiłowała zobaczyć w lustrze dawną siebie, zanim wydała na świat tę istotę, zanim na zawsze skazała się na więź z nią. Ale po co.

Za chwilę zacznie krzyczeć, pomyślałam, za chwilę ją uderzy, w ten sposób spróbuje zerwać więzy. Ale one tylko się wypaczą, umocnią przez wyrzuty sumienia, przez upokorzenie, że publicznie okazała się matką nieczułą, nie jak z żurnala czy z pobożnych życzeń. Elena wrzeszczy, płacze i histerycznie podkula nogi, jakby wejście do sklepu z zabawkami roiło się od węży. Miniatura stworzona z nieracjonalnie ożywionej materii. Dziewczynka nie chciała stać na własnych nogach, chciała pozostać na matce. Była zaniepokojona, czuła, że Nina ma już dość, odgadła to po dbałości, z jaką matka przygotowała się do wyjścia, po buntowniczym zapachu młodości, jej zachłannej urodzie. Dlatego kurczowo się jej trzymała. Strata lalki to tylko wymówka, pomyślałam. Elena boi się przede wszystkim tego, że matka zniknie.

Może Nina też to zauważyła, a może zwyczajnie nie wytrzymała. Wysyczała w dialekcie: przestań, i brutalnym szarpnięciem poprawiła sobie córkę na ręce, przestań, nie chcę cię więcej słyszeć, rozumiesz, nie chcę cię słyszeć, mam dość twoich kaprysów, i z siłą pociągnęła w dół za sukienkę: złość wymierzona w strój, choć jej celem było ciało. Potem się zmieszała, ze skruszoną miną wróciła do języka włoskiego, powiedziała wymuszonym tonem:

— Przepraszam, sama już nie wiem, co robić, zamęcza mnie swoim płaczem. Ojciec wyjechał, więc na mnie wyładowuje żale.

Wtedy Rosaria z westchnieniem wzięła dziewczynkę z jej rąk: chodź do cioci, szepnęła ze wzruszeniem. Tym razem Elena nie stawiała oporu, od razu ustąpiła, zarzuciła jej ręce na szyję. Na złość matce albo w przekonaniu, że to inne ciało — bezdzietne, ale brzemienne, a dzieci bardzo lubią jeszcze nienarodzone niemowlęta i nie cierpią tych, które już są na świecie — jest chwilowo o wiele bardziej gościnne, wtuli się w duże piersi, usadowi na wystającym brzuchu jak na krześle, schroni się przed ewentualnymi wybuchami matki, bo ta nie zatroszczyła się o jej lalkę, bo ją zgubiła. Rzuciła się w objęcia Rosarii z przesadnym uczuciem, aby perfidnie zaznaczyć: ciocia jest lepsza niż ty, mamo, ciocia jest bardziej kochana, jeśli będziesz mnie tak dalej traktować, na zawsze do niej odejdę, a ciebie już więcej nie zechcę.

— Idź, idź, odetchnę trochę — powiedziała Nina z niezadowoloną miną, nad jej górną wargą błyszczały kropelki potu. Zwróciła się do mnie: — Czasami naprawdę już nie daję rady.

– Wiem – odparłam wymownie, dając do zrozumienia, że stoję po jej stronie.

Ale Rosaria już się wtrąciła, rzuciła cicho, mocno obejmując dziewczynkę: ileż z nimi utrapienia. I obsypała Elenę głośnymi całusami, mrucząc rozczulonym głosem: śliczna, śliczna, śliczna. Spieszno jej było do naszej kategorii matek. Uważała, że za długo czekała i że posiadła już wszelką wiedzę o tej roli. Postanowiła pokazać, zwłaszcza mnie, że potrafi lepiej niż szwagierka uspokoić Elenę. Dlatego postawiła ją na ziemi, proszę bardzo, bądź teraz grzeczna, pokaż mamie i pani Ledzie, jaka jesteś grzeczna. Dziewczynka nic nie powiedziała, stała u jej boku ze zrozpaczoną minką i ssała kciuk, podczas gdy Rosaria pytała z zadowoleniem: jakie były wasze córki w dzieciństwie, jak ten tutaj skarbuś? Wtedy poczułam przemożną chęć, by ukarać ją przez zaskoczenie, zszokowanie. Odparłam więc:

– Niewiele pamiętam.

– To niemożliwe, o dzieciach niczego się nie zapomina.

Zamilkłam na chwilę, potem spokojnie odpowiedziałam:

– Odeszłam. Porzuciłam je, kiedy starsza miała sześć lat, a młodsza cztery.

— Co też mówicie? Z kim zostały?

— Z ojcem.

— I więcej już ich nie widzieliście?

— Wzięłam je do siebie po trzech latach.

— To potworne, jakże tak?

Pokręciłam głową, nie wiedziałam dlaczego.

— Byłam bardzo zmęczona – stwierdziłam.

Potem zwróciłam się do Niny, która patrzyła na mnie, jakby widziała mnie po raz pierwszy:

— Czasami trzeba uciec, żeby żyć.

Uśmiechnęłam się, skinęłam na Elenę:

— Niech jej pani niczego nie kupuje, to na nic. Lalka się znajdzie. Do widzenia.

Do męża Rosarii, który znowu miał na twarzy złowrogą maskę, skinęłam głową na pożegnanie i wyszłam ze sklepu.

15.

Byłam wściekła na siebie. Nigdy z nikim nie rozmawiałam o tym etapie mojego życia, nawet z własnymi siostrami, nawet sama ze sobą. Kiedy napomykałam o Biance i Marcie, obydwu razem albo każdej z osobna, słuchały mnie w milczeniu, stwierdzały, że niczego nie pamiętają, i zaraz zmieniały temat. Tylko mój były mąż, zanim wyjechał do pracy w Kanadzie, czasami od tego zaczynał swoje żale i wyrzuty; ale to inteligentny i wrażliwy mężczyzna, wstydził się potem tych ciosów poniżej pasa i nie wracał więcej do tamtego okresu. Dlatego nie mogłam pojąć, czemu zwierzyłam się z tak osobistej sprawy całkiem obcym i tak różniącym się ode mnie osobom, które nigdy nie będą w stanie zrozumieć moich racji i które z pewnością teraz o mnie plotkują.

Nie mogłam tego znieść, nie umiałam sobie wybaczyć, czułam się obnażona.

Włóczyłam się bez celu po placu i próbowałam uspokoić, ale echo moich zdań, wyraz twarzy Rosarii i jej słowa dezaprobaty oraz błysk w oczach Niny na to nie pozwalały, co więcej, tylko wzmogły gniew. Na nic się zdało powtarzanie, że to bez znaczenia, bo kimże są te dwie, przecież widujemy się tylko tutaj, na wakacjach. Zauważyłam, że choć myśl ta pomaga mi zbagatelizować Rosarię, nie działa w przypadku Niny. W jej spojrzeniu dostrzegłam przerażenie, choć nie oderwała ode mnie oczu: po prostu nagle się wycofała, jakby w głębi źrenic szukała jakiegoś odległego punktu, żeby stamtąd bezpiecznie na mnie patrzeć. Zraniła mnie ta nagła potrzeba dystansu.

Niechętnie krążyłam między kramami, w myślach widziałam Ninę taką, jaka była w minionych dniach, od tyłu, jak powolnymi, precyzyjnymi ruchami wciera krem w młode nogi, ręce, ramiona, jak wykręca się, żeby posmarować plecy tam, gdzie jest w stanie dotrzeć – czasami miałam ochotę wstać i powiedzieć: pozwól, ja ci pomogę, tak jak w dzieciństwie chciałam pomóc matce, albo jak często pomagałam córkom. Nagle dotarło do mnie, że nieświadomie dzień po dniu, z mieszanymi i często sprzecznymi uczuciami angażowałam ją w coś, czego nie potrafiłam określić, a co było wyłącznie moje. I pewnie dlatego teraz byłam wściekła. Odruchowo wykorzystałam przeciwko Rosarii ponurą chwilę z własnego życia, a zrobiłam to po to, żeby ją zaskoczyć, w pewnym sensie także przestraszyć. Ta kobieta robiła wrażenie nieprzyjemnej, fałszywej. Tak naprawdę chciałam porozmawiać o tym tylko z Niną, ale przy innej okazji, ostrożnie, żeby mnie dobrze zrozumiała.

Wkrótce znowu zaczęło padać i musiałam schronić się na zadaszonym targu, pośród intensywnego zapachu ryb, bazylii, oregano, papryczek. Tam, popychana przez dorosłych i dzieci, którzy nadbiegali ze śmiechem, zmoczeni deszczem, poczułam się naprawdę źle. Woń unosząca się na bazarze wywołała u mnie mdłości, powietrze robiło się coraz bardziej parne, było mi gorąco, pociłam się, a chłód wpadający falami z zewnątrz, spomiędzy kropel deszczu, mroził pot na ciele, powodował zawroty głowy. Przepchnęłam się do wyjścia, gdzie napierali na mnie ludzie patrzący, jak z nieba leje się woda, dzieci, które na błyski i grzmoty reagowały piskiem wywołanym przerażeniem i zarazem rozbawieniem. Stanęłam prawie w progu, żeby owiało mnie świeże powietrze, i postarałam się zapanować nad emocjami.

Bo co ja w końcu takiego strasznego zrobiłam? Lata temu byłam zagubiona, to prawda. Młodzieńcze nadzieje spełzły na niczym, czułam, że cofam się w zawrotnym tempie, że staję się jak moja matka, jak moja babka, jak cały szereg milczących czy urażonych kobiet, od których się wywodziłam. Stracone okazje. Nadal miałam ambicje, podsycało je młode ciało, wyobraźnia, która podsuwała projekt za projektem, widziałam jednak, jak moje twórcze dążenia coraz bardziej zderzają się z realiami uniwersyteckich manipulacji, z oportunizmem i z karierowiczostwem. Miałam wrażenie, że tkwię zamknięta we własnej głowie, bez szans, by pokazać, na co mnie stać, i byłam zdesperowana.

Doszło do kilku niepokojących sytuacji, nie zwyczajnych przejawów zniechęcenia, nie destrukcyjnego buntu przeciwko symbolom, lecz czegoś więcej. Teraz są to już tylko pozbawione kontekstu epizody, powracające w pamięci w różnym porządku. Jak na przykład tamto zimowe popołudnie, kiedy pracowałam w kuchni nad esejem, który pisałam od miesięcy i choć był krótki, nie byłam w stanie go dokończyć. Nic mi nie szło, w mojej głowie roiło się od hipotez, obawiałam się, że profesor, który zachęcił mnie do pisania, nie pomoże mi tego opublikować, odrzuci tekst.

Marta bawiła się pod stołem, przy moich nogach, Bianca siedziała obok, udawała, że czyta i pisze, naśladowała moje ruchy, miny. Nie wiem, co się stało. Może coś do mnie mówiła, a ja nie zareagowałam; może chciała rozpocząć jedną ze swoich zabaw, zawsze nieco brutalnych; jedno jest pewne: nagle, kiedy cała skupiona byłam na wynajdowaniu logicznych i właściwych słów, z których i tak nigdy nie byłam zadowolona, poczułam uderzenie w ucho.

To nie był silny cios, Bianca miała pięć lat, nie mogła zrobić mi krzywdy. Ale ja aż podskoczyłam, poczułam palący ból, jakby czarna ostra kreska jednym ruchem odcięła myśli, które z trudem starałam się uchwycić, które błądziły daleko od kuchni, gdzie się znajdowałyśmy, od kolacji pyrkającej na kuchence, od tykającego zegara pochłaniającego krótki urywek czasu, jaki mogłam poświęcić moim badaniom i ambicjom, by tworzyć, zdobyć uznanie, pozycję, własne pieniądze. Bez namysłu i błyskawicznie klepnęłam córkę po twarzy, nie mocno, zaledwie opuszkami palców.

Nigdy więcej tak nie rób, powiedziałam, przyjmując pouczający ton, ona się uśmiechnęła, znowu spróbowała mnie uderzyć, była przekonana, że wreszcie zaczęła się zabawa. Ja ją jednak ubiegłam i zamachnęłam się jeszcze raz, trochę mocniej, Bianca, nawet się nie waż, tym razem roześmiała się ochryple, w oczach miała zwątpienie, a ja dalej wymierzałam ciosy czubkami wyprostowanych palców, i jeszcze raz, i znowu, nie bije się mamy, nie wolno tego robić, i wreszcie zrozumiała, że ja się nie bawię, i zaczęła rozpaczliwie płakać.

Pod palcami czuję łzy dziecka, uderzam jednak dalej. Lekko, panuję nad ręką, ale robię to coraz szybciej, raz za razem, zdecydowanie, to już nie ewentualna nauczka, lecz prawdziwa przemoc, powstrzymywana, ale prawdziwa. Wyjdź stąd, mówię cicho, wynocha, mama musi pracować, i chwytam ją stanowczo za ramię, wyprowadzam do przedpokoju, ona płacze, krzyczy, znowu próbuje mnie dosięgnąć, a ja zostawiam ją i jednym ruchem zamykam za sobą drzwi, nie chcę cię widzieć.

W drzwiach wstawiona była wielka matowa szyba. Nie wiem, co się stało, może pchnęłam je zbyt mocno, pewne jest, że zamknęły się z trzaskiem i szyba rozleciała się na drobne kawałki. W pustym prostokącie ukazała się Bianca, taka mała, z wytrzeszczonymi oczami, już nie płakała. Patrzyłam na nią z przerażeniem, do czego jestem zdolna, bałam się samej siebie. Stała nieruchomo, cała i zdrowa, a z jej oczu płynęły nieme łzy. Staram się nigdy nie myśleć o tej chwili, o Marcie, która ciągnie mnie za spódnicę, o dziewczynce pośród rozbitego szkła, która spogląda na mnie z przedpokoju, bo na to wspomnienie oblewa mnie zimny pot, tracę dech w piersiach. Tutaj, przy wejściu na targ, też się pocę, duszę, nie mogę zapanować nad oszalałym sercem.

16.

Jak tylko deszcz zelżał, ruszyłam biegiem, chowając głowę pod torebką. Nie wiedziałam, dokąd iść, nie chciałam wracać do domu. Co to za wakacje nad morzem, gdy pada: asfalt w kałużach, zbyt lekkie ubrania, mokre stopy w sandałach. W końcu deszcz zamienił się w mżawkę. Już miałam przejść przez jezdnię, ale się zatrzymałam. Na przeciwległym chodniku zobaczyłam Rosarię, Corrada, Ninę z córką na ręku, którą owinęła w lekki szal. Szli szybkim krokiem, właśnie opuścili sklep z zabawkami. Rosaria trzymała w pasie, jak tobołek, nową lalkę, która wyglądała zupełnie jak dziecko. Nie widzieli mnie albo udali, że nie widzą. Podążyłam wzrokiem za Niną, miałam nadzieję, że się obróci.

Słońce znowu zaczęło świecić przez szparki błękitu w chmurach. Doszłam do auta, zapaliłam, pojechałam nad morze. Przez głowę przelatywały mi twarze i gesty, ale nie słowa. Pojawiały się i znikały tak szybko, że nie miałam czasu, zamienić ich w myśl. Przyłożyłam dwa palce do piersi, żeby spowolnić bicie serca, jakbym chciała w ten sposób także zmniejszyć prędkość samochodu. Wydawało mi się, że jadę za szybko, w rzeczywistości jednak nie przekraczałam sześćdziesięciu kilometrów na godzinę. Nie wiadomo, skąd nadciąga złe samopoczucie, jak się rozwija i z jaką prędkością. Byliśmy wtedy na plaży, Gianni, mój mąż, jego kolega z pracy, Matteo, i żona kolegi, Lucilla, kobieta niezwykle wykształcona. Nie pamiętam, czym się zajmowała, pamiętam jedynie, że często wprawiała mnie w zakłopotanie z powodu dziewczynek. Zazwyczaj była uprzejma, wyrozumiała, nie krytykowała mnie, nie była podstępna. Ale nie potrafiła oprzeć się pokusie, by czarować moje córki, zdobywać na wyłączność ich miłość, udowadniać sobie, że posiada serce niewinne i czyste – jak mawiała – które bije unisono z ich serduszkami.

Jak Rosaria. W tych kwestiach różnice kulturowe i klasowe mają niewielkie znaczenie.

116

Kiedy Matteo i Lucilla przychodzili do nas albo kiedy wybieraliśmy się na wspólną wycieczkę poza miasto, albo – jak w tym przypadku – jechaliśmy razem na wakacje, żyłam w ciągłym napięciu i czułam się nieszczęśliwa. Podczas gdy panowie gawędzili o pracy, o piłce, sama nie wiem, o czym jeszcze, Lucilla nigdy nie rozmawiała ze mną, ja jej nie interesowałam. Bawiła się z dziewczynkami, monopolizowała ich uwagę, wymyślała zabawy i sama w nich uczestniczyła, zachowując się tak, jakby była w ich wieku.

Patrzyłam, jak cała koncentruje się na jednym tylko celu, by je zdobyć. Przestawała poświęcać im uwagę dopiero wtedy, kiedy stawały się całkowicie uległe, kiedy chciały spędzić z nią nie godzinę czy dwie, ale całe życie. Drażnił mnie sposób, w jaki udawała dziecko. Uczyłam córki, żeby mówiły normalnie, żeby nie robiły minek. Lucilla natomiast ciągle przybierała jakiś dąs i była jedną z tych kobiet, które do perfekcji opanowały głos, jaki dorośli przypisują dzieciom. Sama wyrażała się w sposób nienaturalny i zachęcała do tego moje córki, wpędzając je w formę regresu wpierw słownego, a potem, stopniowo, także w zachowaniu. W kilka minut po przyjściu niszczyła ich samodzielność, którą z takim trudem im wpajałam i która była niezbędna, żebym mogła wygospodarować odrobinę czasu dla siebie. Pojawiała się i natychmiast zaczynała odgrywać matkę wrażliwą, z fantazją, wiecznie radosną, chętną do zabawy: matkę dobrą. Niech ją szlag. Jechałam, nie bacząc na kałuże, a właściwie specjalnie w nie wjeżdżałam, by podnosić ściany wody.

Czułam, że ogarnia mnie dawny gniew. Łatwo tak, myślałam. Łatwo i przyjemnie jest zabawić dziewczynki przez godzinę czy dwie – podczas spaceru, na wakacjach, w gościach. Lucilla nigdy nie troszczyła się o to, co potem. Rujnowała moją dyscyplinę, a gdy już zniszczyła obszar, który do mnie należał, wracała do siebie, poświęcała się mężowi, biegła do pracy, do swoich sukcesów, o których zresztą nigdy nie omieszkała poinformować pozornie skromnym tonem. Na koniec zostawałam sama, ja, zła matka, na nigdy nie kończącej się służbie. Żeby posprzątać bałagan, jakiego dziewczynki narobiły w domu, żeby z powrotem nakłonić je do zwyczajów, które teraz uznawały za nieznośne. Ciocia Lucilla powiedziała, ciocia Lucilla pozwoliła. Niech ją szlag. Niech ją jasny szlag.

Czasami, ale to bywało rzadko i nie trwało długo, mogłam zakosztować radości z drobnego i chwilowego odwetu. Zdarzało się na przykład, że ciocia Lucilla pojawiała się w złej chwili, kiedy siostrzyczki były zajęte swoją zabawą, i to tak bardzo, że zabawy wymyślane przez nią odkładały na później albo jeśli już zostały do nich przymuszone, po prostu się nudziły. Ona robiła dobrą minę do złej gry, choć była rozgoryczona. Wiedziałam, że to ją boli, jakby naprawdę była odrzuconą koleżanką, i muszę przyznać, że sprawiało mi to przyjemność, ale nie umiałam takiej sytuacji wykorzystać, nigdy nie potrafiłam wykorzystać przewagi. Od razu miękłam, może podświadomie bałam się, że jej uczucie do dziewczynek zmaleje, i robiło mi się przykro. Dlatego wcześniej czy później usprawiedliwiałam je: cały czas bawią się ze sobą, mają swoje nawyki, może stały się zbyt samodzielne. Ona wtedy otrząsała się, przytakiwała i od słowa do słowa zaczynała je krytykować, wytykać wady i problemy. Bianca jest egoistką, Marta ma słaby charakter; jedna ma mało wyobraźni, druga za dużo; starsza jest niebezpiecznie zamknięta w sobie, młodsza jest kapryśna i rozpieszczona. Słuchałam, a mój mały odwet już zmieniał cel. Czułam, że Lucilla odgrywa się za odrzucenie, upokarzając mnie, jakbym była wspólniczką dziewczynek. I znowu cierpiałam.

Krzywda, jaką wyrządziła mi w tamtym czasie, była ogromna. Zarówno kiedy popisywała się podczas zabaw, jak i wtedy, gdy tonęła w rozgoryczeniu, bo została z nich wykluczona, umocniła we mnie przekonanie, że wszystko robię źle, że jestem zbyt zadufana w sobie, że nie nadaję się na matkę. Niech ją szlag, niech ją szlag, niech ją szlag. Tak właśnie czułam się wtedy na plaży. Był lipcowy poranek, Lucilla zagarnęła Biancę, ale odsunęła od siebie Martę. Wykluczyła ją z zabawy, być może dlatego, że była młodsza, albo dlatego, że uważała ją za głupszą, lub też dziewczynka nie sprawiała jej frajdy, sama nie wiem. Coś jednak musiała powiedzieć Marcie, coś, co wywołało u mojej córki płacz, a mnie zadało ból. Zostawiłam rozbeczaną córkę pod parasolem, u boku zatopionych w rozmowie Gianniego i Mattea, wzięłam ręcznik i poszłam opalać się kilka kroków od morza. Marta jednak przytruchtała do mnie, miała dwa i pół roku, może trzy lata, chciała się bawić, cała w piasku położyła mi się na brzuchu. Nie cierpię, gdy piasek lepi się do mnie, gdy moje rzeczy są nim obsypane. Wrzasnęłam do męża: chodź tu i natychmiast zabierz dziecko. Przybiegł, widział, że jestem na granicy wytrzymałości, bał się, że zrobię scenę, zdawał sobie sprawę, że nie panuję nad sobą. Od jakiegoś czasu przestałam odróżniać przestrzeń prywatną od publicznej, nie obchodziło mnie, że ludzie mnie słyszą i oceniają, czułam przemożną potrzebę demonstrowania złości, robienia z siebie przedstawienia. Zabierz ją, krzyknęłam, dłużej jej nie zniosę, i sama nie wiem dlaczego, ale uwzięłam się na Martę, bidulka, skoro Lucilla źle ją potraktowała, powinnam była się za nią wstawić, ja jednak zachowałam się tak, jakbym dała wiarę tej kobiecie, złościło mnie to, co wygaduje o dziewczynkach, a mimo to uwierzyłam, myślałam, że mała naprawdę jest głupia, poza tym z byle powodu się mazgaiła, miałam już dość.

Gianni wziął córkę na ręce, spojrzał na mnie wymownie, jakby mówił: uspokój się. Ze złością odwróciłam się do niego plecami, poszłam do wody, żeby zmyć piasek i upał. Kiedy wróciłam, zobaczyłam, że bawi się razem z Lucillą, Biancą i Martą. Śmiał się, dołączył do nich także Matteo. Lucilla zmieniła zdanie, uznała, że z Martą da się bawić, postanowiła mi pokazać, że można.

Patrzyłam, jak Marta się uśmiecha: pociągała jeszcze nosem, ale była naprawdę szczęśliwa. To był moment. Poczułam, jak w żołądku pęcznieje mi niszcząca siła, przypadkowo dotknęłam ucha i odkryłam, że nie mam jednego kolczyka. Nie były wiele warte, lubiłam je, ale nie przykładałam do nich szczególnej wagi. Mimo to zdenerwowałam się, wrzasnęłam do męża, że zgubiłam kolczyk, sprawdziłam na ręczniku, nie było, wrzasnęłam głośniej: zgubiłam kolczyk, z furią przerwałam ich zabawę, odezwałam się do Marty: przez ciebie zgubiłam kolczyk, powiedziałam to z nienawiścią, jakby wyrządziła mi ogromną krzywdę, zniszczyła życie, potem wróciłam, rozgrzebałam piasek nogami, rękami, nadszedł mój mąż, nadszedł Matteo, zaczęli szukać. Tylko Lucilla kontynuowała zabawę z dziewczynkami, razem z nimi trzymała się z dala od mojego szaleństwa.

W domu, w obecności Bianki i Marty, wykrzyczałam mężowi, że nie chcę tej suki więcej widzieć, nigdy, mój mąż dla świętego spokoju odparł, że dobrze. Potem, gdy go zostawiłam, miał romans z Lucillą. Może liczył, że rozstanie się z mężem, że zajmie się dziewczynkami. Ale ona nie zrobiła ani jednego, ani drugiego. Ko-

chała go, owszem, ale nie rozwiodła się i przestała się interesować Biancą i Martą. Nie wiem, jak
potoczyło się jej życie, czy dalej jest z mężem,
czy się rozstali i ponownie wyszła za mąż, czy
ma swoje dzieci. Nic o niej nie wiem. Wtedy byłyśmy młode, kto wie, jaka jest teraz, co myśli,
co robi.

17.

Zaparkowałam, przeszłam przez las, krople deszczu spadały z drzew. Doszłam do wydm. Kąpielisko opustoszało, Gina nie było, zarządcy też. Plaża po deszczu wyglądała jak ciemna, pofalowana skorupa, z którą delikatnie zderzała się biaława tafla morza. Poszłam pod parasole neapolitańczyków, zatrzymałam się przy parasolu Niny i Eleny, gdzie znajdowały się liczne zabawki dziewczynki, niektóre wciśnięte pod leżaki, inne włożone do ogromnej plastikowej torby. Los albo milczące porozumienie powinny tu ściągnąć Ninę, pomyślałam. Samą. Bez dziecka, bez reszty. Przywitałybyśmy się, wcale niezaskoczone. Rozłożyłybyśmy dwa leżaki, razem patrzyły na morze, w spokoju opowiedziałabym jej o moich przeżyciach, co jakiś czas, przypadkiem, nasze ręce by się dotknęły.

Moje córki w każdym momencie usiłują być moim przeciwieństwem. Są zdolne, wykształcone, ojciec przeciera im szlaki. Z determinacją, ale i strachem prą naprzód przez świat, dokonają więcej niż ich rodzice. Dwa lata temu, kiedy przeczułam, że wyjadą, i to nie wiadomo na jak długo, napisałam długi list, w którym ze szczegółami opowiedziałam im, w jakich okolicznościach i dlaczego je porzuciłam. Nie chciałam tłumaczyć swoich racji – bo jakich? – tylko wyjaśnić, co ponad piętnaście lat temu pchnęło mnie, by być daleko od nich. List przygotowałam w dwóch kopiach, po jednej dla każdej, i zostawiłam w ich pokojach. Ale nic się nie wydarzyło, nigdy mi nie odpowiedziały, nigdy nie zaproponowały: porozmawiajmy o tym. Raz tylko, na moją wyrażającą rozgoryczenie wzmiankę, Bianca, która właśnie wychodziła, odparła: dobrze, że chociaż ty masz czas na pisanie listów.

Głupotą jest myśleć, że można zwierzyć się własnym dzieciom, zanim skończą co najmniej pięćdziesiąt lat. Żądać, aby patrzyły na matkę jak na człowieka, a nie na funkcję. Powiedzieć: ja jestem waszą historią, ze mnie się wywodzicie, posłuchajcie, może się wam przyda. Ale ja nie jestem historią Niny, Nina może we mnie zobaczyć swoją przyszłość. Wybrać sobie czyjąś córkę na koleżankę. Odszukać ją, zbliżyć się do niej.

Przez chwilę stałam i grzebałam nogą, aż dokopałam się do suchego piasku. Pomyślałam bez żalu, że gdybym wzięła lalkę, mogłabym ją zakopać pod tą mokrą skorupą. Plan doskonały, ktoś znalazłby ją następnego dnia. Nie Elena, wolałabym, żeby znalazła ją Nina, podeszłabym wtedy, zapytała: cieszysz się? Ale lalki nie miałam przy sobie, nie wzięłam jej, nawet o tym nie pomyślałam. Za to kupiłam Nani nową sukienkę i buciki, kolejne bezsensowne posunięcie. A przynajmniej ja w nim sensu nie widziałam, tak jak w wielu drobnych rzeczach w moim życiu. Podeszłam do brzegu, chciałam iść gdzieś daleko, zmęczyć się.

Długo spacerowałam z torbą na ramieniu, z sandałami w ręku, ze stopami w wodzie. Minęłam tylko kilka zakochanych par. W pierwszym roku życia Marty odkryłam, że nie kocham już męża. To był ciężki rok, mała w ogóle nie spała i mnie też nie pozwalała. Przemęczenie jest jak szkło powiększające. Byłam za bardzo wykończona, żeby pracować, żeby myśleć, śmiać się, płakać, kochać tego zbyt inteligentnego mężczyznę, zbyt zaangażowanego w swój zakład z życiem, zbyt nieobecnego. Miłość wymaga sił, a ja ich nie miałam. Kiedy zaczynał mnie pieścić i całować, robiłam się nerwowa, czułam, że mnie wykorzystuje dla własnej odosobnionej przyjemności.

Raz z bliska zobaczyłam, co znaczy miłość, jaką przemożną i pełną radości nieodpowiedzialność wyzwala. Gianni jest Kalabryjczykiem, urodził się w górskiej wiosce, gdzie nadal stoi jego rodzinny dom. Nic wielkiego, ale powietrze dobre, a krajobraz ładny. Lata temu jeździliśmy tam z dziewczynkami na Boże Narodzenie i na Wielkanoc. Wybieraliśmy się w trudną podróż samochodem, podczas której on prowadził, zamyślony i milczący, a ja musiałam tłumić kaprysy Bianki i Marty (ciągle były głodne, żądały zabawek zamkniętych w bagażniku, chciało im się siusiu, chociaż dopiero co robiły) albo zabawiać je piosenkami. Była wiosna, ale zima zwlekała z odejściem. Padał śnieg, ściemniało się. Nagle w zatoczce zobaczyliśmy parę zziębniętych autostopowiczów.

Gianni zatrzymał się odruchowo, to szlachetny człowiek. Ja powiedziałam, że nie ma miejsca, jesteśmy z dziewczynkami, nie da rady. Para wsiadła, Anglicy, on szpakowaty czterdziestolatek, ona bez wątpienia jeszcze przed trzydziestką. Na początku milczałam wrogo, podróż mi się skomplikowała, teraz musiałam jeszcze bardziej się starać, żeby dziewczynki siedziały grzecznie. Mówił przede wszystkim mój mąż, lubił nawiązywać kontakty, zwłaszcza z cudzoziemcami. Był serdeczny, zadawał pytania, nie bacząc na konwenanse. Dowiedzieliśmy się, że ta para w chwili nagłego uniesienia porzuciła pracę (nie pamiętam, czym się zajmowała), a wraz z nią rodziny: ona młodego męża, on żonę i trójkę dzieci. Od kilku miesięcy podróżowali po Europie, dysponując niewielką sumą pieniędzy. Mężczyzna powiedział poważnie: najważniejsze to być razem. Ona przytaknęła, a w pewnym momencie zwróciła się do mnie w tym tonie: od dziecka musimy robić tyle głupich rzeczy w przekonaniu, że są bardzo istotne; to, co nam się przydarzyło, to jedyna sensowna rzecz, jaka mnie spotkała, od kiedy się urodziłam.

Wtedy mi się spodobali. Kiedy przyszło zostawić ich w nocy na poboczu autostrady albo na pustej stacji benzynowej, bo musieliśmy wjechać na boczne drogi, zwróciłam się do męża:

zabierzmy ich ze sobą, jest ciemno, zimno, jutro podwieziemy ich do najbliższego zjazdu. Pod bacznym spojrzeniem onieśmielonych dziewczynek zjedli kolację, ja rozłożyłam dla nich starą kanapę. Miałam wrażenie, że bez względu na to, czy są razem, czy osobno, emanują jakąś mocą, która niesie się aż po horyzont, ogarnia mnie, wlewa mi się w żyły i rozpala mózg. Zaczęłam mówić z podnieceniem, czułam, że mam im, i tylko im, do powiedzenia mnóstwo rzeczy. Pochwalili moją znajomość języka, mąż żartobliwie przedstawił mnie jako wybitną badaczkę współczesnej literatury angielskiej. Zaprzeczyłam, wyjaśniłam, czym dokładnie się zajmuję, oboje zainteresowali się moją pracą, zwłaszcza dziewczyna. To było coś nowego.

Byłam nią oczarowana, miała na imię Brenda. Rozmawiałam z nią cały wieczór, wyobrażałam sobie siebie na jej miejscu: wolna, w podróży z prawie nieznanym mężczyzną, którego pragnę w każdej chwili i który w każdej chwili pragnie mnie. Wszystko wyzerowane. Żadnych nawyków, żadnych przytępionych przez przewidywalność wrażeń. Ja to ja, wytwarzam niewypaczone myśli, bo w głowie mam tylko plątaninę pragnień i marzeń. Nikt mnie jeszcze nie skrępował, choć przecięto już pępowinę. Kiedy rano żegnali się ze mną, Brenda, która znała odrobinę włoski, zapytała, czy mogę dać jej do przeczytania coś mojego. Mojego. Smakowałam to sformułowanie: *coś mojego*. Dałam jej nędzną kilkukartkową odbitkę artykułu opublikowanego dwa lata wcześniej. Potem wyjechali, mąż zawiózł ich na autostradę.

Doprowadziłam dom do porządku, delikatnie i z tęsknotą posprzątałam ich łoże, wyobrażając sobie nagą Brendę, jej mokre podniecenie między nogami. W rzeczywistości to ja byłam podniecona. Po raz pierwszy, od kiedy wyszłam za mąż – po raz pierwszy od narodzin Bianki i Marty – zapragnęłam powiedzieć mężczyźnie, którego pokochałam, powiedzieć moim córkom: muszę odejść. Wyobrażałam sobie, jak odwożą mnie na autostradę, całą trójką, zostawiają i odjeżdżają, machając na pożegnanie.

Wyobrażenie nie minęło. Jak długo siedziałam na barierce drogowej, jak Brenda, pragnąc znaleźć się na jej miejscu? Rok, może dwa, zanim naprawdę odeszłam. To był ciężki okres. Nigdy tak naprawdę nie chciałam zostawić córek. Uważałam to za coś okropnego, głupiego i egoistycznego. Pragnęłam za to zostawić męża, czekałam na właściwy moment. Czekasz, poddajesz się, znowu czekasz. Coś w końcu się stanie, ale ty już jesteś coraz bardziej niecierpliwa, może nawet niebezpieczna. Przestałam nad sobą panować, nawet zmęczenie mnie nie uspokajało.

Kto wie, jak długo już idę. Popatrzyłam na zegarek, cofnęłam się do kąpieliska, bolały mnie stopy. Niebo się rozpogodziło, słońce przygrzewało, ludzie leniwie zaczęli schodzić się na plażę, niektórzy ubrani, inni już w strojach kąpielowych. Otwierano parasole, nadbrzeże zamieniło się w niekończącą się procesję celebrującą powrót wakacji.

W pewnym momencie zauważyłam grupkę chłopców, którzy dawali coś plażowiczom. Kiedy znalazłam się na ich wysokości, rozpoznałam ich, to byli kuzyni Niny. Rozdawali ulotki, niby dla zabawy, każdy miał sporą ilość. Jeden z nich mnie rozpoznał, powiedział: tej nie ma po co dawać. Ja jednak wzięłam ulotkę i poszłam dalej, dopiero po chwili na nią spojrzałam. Nina, może Rosaria, zrobiły tak, jak się robi, kiedy komuś zaginie kot albo pies. Na środku kartki widniało brzydkie zdjęcie Eleny z lalką. I napisany wielkimi cyframi numer komórki. W kilku zdaniach informowano wzruszającym tonem, że mała bardzo cierpi, bo zgubiła laleczkę. Znalazca otrzyma hojne wynagrodzenie. Starannie złożyłam ulotkę i włożyłam do torby, obok nowej sukienki dla Nani.

18.

Do mieszkania wróciłam po kolacji, byłam oszołomiona kiepskim winem. Przeszłam obok baru,
w którym Giovanni zażywał chłodu ze swoimi
kolegami. Gdy mnie zobaczył, wstał, skinął głową na powitanie, wzniósł kieliszek z winem, jakby mnie zapraszał. Nie odpowiedziałam i nie
miałam wyrzutów sumienia za niegrzeczne zachowanie.

Byłam bardzo nieszczęśliwa. Czułam się tak,
jakbym się rozpadała, jakbym ja, uporządko-
wana kupka pyłu, przez cały dzień była targana
wiatrem i teraz wisiała w powietrzu, pozbawiona
kształtu. Rzuciłam torbę na kanapę, nie otworzyłam drzwi na balkon, nie otworzyłam okien
w sypialni. Poszłam do kuchni po wodę, żeby
rozpuścić w niej kilka kropel środka nasennego,

który zażywałam podczas wyjątkowego przygnębienia. Gdy piłam, mój wzrok padł na lalkę siedzącą na stole i przypomniałam sobie o sukience w torbie. Zalał mnie wstyd. Chwyciłam ją za głowę, zaniosłam do salonu, opadłam na kanapę i położyłam ją sobie na brzuchu, plecami do góry.

Śmiesznie wyglądała z tymi swoimi grubymi pośladkami, wygiętym grzbietem. Zobaczmy, czy ci pasuje, powiedziałam na głos, ze złością. Wyciągnęłam sukienkę, majtki, skarpetki, buciki. Przyłożyłam ubranko do lalki, rozmiar był właściwy. Rano pójdę prosto do Niny, powiem jej: znalazłam ją wczoraj wieczorem w lesie, popatrz, a dziś rano kupiłam jej sukienkę, żebyś mogła się nią z córką bawić. Westchnęłam z niezadowolenia, zostawiłam wszystko na kanapie i już miałam wstać, kiedy spostrzegłam, że z ust lalki znowu wylała się ciemna ciecz i poplamiła mi spódnicę.

Przyjrzałam się jej ustom i małej dziurce pośrodku. Poczułam, że ustępują pod naporem palców, były z miękkiego plastiku, innego niż reszta korpusu. Rozwarłam je delikatnie. Dziurka powiększyła się i lalka pokazała mi w uśmiechu dziąsła i mleczne zęby. Z obrzydzeniem szybko zamknęłam usta, potrząsnęłam nią za-maszyście. Usłyszałam chlupotanie w brzuchu, wyobraziłam sobie zgniliznę, jaką ma w środku, zamkniętą, cuchnącą wodę wymieszaną z pia-skiem. To wasze sprawy, matki i córki, pomyśla-łam, niepotrzebnie się wtrącałam.

Spałam mocno. Rano wrzuciłam do torby rzeczy nad morze, książki, zeszyty, sukienkę, lal-kę i ruszyłam na plażę. W samochodzie włączy-łam starą płytę Davida Bowiego, przez całą dro-gę słuchałam właściwie tylko jednej piosenki, *The Man Who Sold the World*, należała do mojej młodości. Przeszłam przez chłodny i wilgotny jeszcze od deszczu las. Co jakiś czas widziałam na pniach przypięte ulotki ze zdjęciem Eleny. Chciało mi się śmiać. Może srogi Corrado hoj-nie mnie wynagrodzi.

Gino był niezwykle uprzejmy, ucieszyłam się na jego widok. Rozłożył już leżak, żeby wy-sechł na słońcu, odprowadził mnie do parasola, nalegając, żebym pozwoliła mu ponieść torbę, ale w jego głosie ani razu nie wyczułam poufa-łości. Mądry i dyskretny chłopiec, trzeba mu pomóc, zachęcić go, żeby skończył studia. Za-brałam się za czytanie, ale byłam roztargniona. Gino również wyciągnął podręcznik, usiadł na leżaku i uśmiechnął się do mnie lekko, ze zrozumieniem.

Nina jeszcze nie przyszła, Elena też nie. Zjawili się za to chłopcy, którzy poprzedniego dnia rozdawali ulotki, a kuzyni, bracia, szwagrowie, wszyscy pozostali krewni schodzili się w różnym porządku, z opóźnieniem i znużeniem. Na koniec – prawie w południe – nadeszła Rosaria z Corradem, ona z przodu, w stroju kąpielowym, demonstrując ogromne łono kobiety brzemiennej, która nie podporządkowuje się żadnym dietom, a mimo to nosi swój brzuch bez skrępowania, bez utyskiwania, i on z tyłu, w koszulce, spodenkach, klapkach, nonszalanckim krokiem. Wrócił niepokój, przyspieszone bicie serca. Jasne się stało, że Nina nie przyjdzie na plażę, może z dziewczynką nie jest dobrze. Przyjrzałam się uważnie Rosarii. Miała ponurą twarz, ani razu nie spojrzała w moją stronę. Poszukałam więc wzrokiem Gina, może on coś wie, ale jego miejsce świeciło pustką, na leżaku leżała otwarta książka.

Jak tylko zobaczyłam, że Rosaria sama oddala się od parasola, krocząc na szeroko rozstawionych nogach, i kieruje się w stronę morza, dołączyłam do niej. Mój widok jej nie ucieszył i nawet nie próbowała tego ukryć. Na moje pytania odpowiadała zwięźle, bez życzliwości.

— Jak się czuje Elena?

— Przeziębiła się.

— Ma gorączkę?

— Niewielką.

— A Nina?

— Nina została z córką, co ma robić.

— Widziałam ulotki.

Zrobiła niezadowoloną minę.

— Tłumaczyłam bratu, że to bez sensu, tylko zawracanie dupy.

Mówiła, tłumacząc bezpośrednio z dialektu. Już miałam jej powiedzieć, że owszem, bez sensu, zawracanie dupy: bo ja mam lalkę, zaraz zaniosę ją Elenie, ale jej nieprzyjemny ton zniechęcił mnie, nic jej nie powiem, nic nie powiem nikomu z klanu. Dzisiaj nie byli już przedstawieniem, któremu mogę się przyglądać i które mogę nostalgicznie porównywać ze wspomnieniami ze swojego dzieciństwa w Neapolu; dzisiaj należeli do mojego czasu, do mojego błotnistego życia, w które jeszcze niekiedy się zapadam. Byli dokładnie jak krewni, od których odsunęłam się w młodości. Nie cierpiałam ich, a mimo to nie mogłam się od nich uwolnić, nosiłam ich w sobie.

Czasami los szyderczo zatacza krąg. Od kiedy ukończyłam trzynaście, czternaście lat, zaczęłam dążyć do społecznego awansu, starałam się posługiwać poprawnym językiem, marzyłam o kulturalnym i bogatym duchowo życiu. Neapol był dla mnie jak fala, która może mnie zatopić. Nie wierzyłam, że w mieście istnieją inne formy życia niż te, które poznałam jako dziecko – brutalne, seksualnie nieudolne, mdłe i ordynarne albo tępo broniące swojego godnego pożałowania upadku. Ja tych form nawet nie szukałam, ani w przeszłości, ani w ewentualnej przyszłości. Uciekłam jak poparzona, jak człowiek, który z wrzaskiem zdziera z siebie spaloną skórę, myśląc, że zrywa to, co się pali.

Kiedy porzuciłam swoje córki, najbardziej bałam się tego, że Gianni zawiezie Biancę i Martę do Neapolu, z lenistwa, z zemsty, z potrzeby, i powierzy je mojej matce i krewnym. Dusiłam się ze strachu na myśl: co ja najlepszego zrobiłam, sama uciekłam, a im pozwalam tam jechać. Myślałam o tym, jak dziewczynki powoli zanurzą się w czarnej studni, z której pochodzę, wchłoną zachowanie, język, to wszystko, co z siebie wypleniłam, kiedy w wieku osiemnastu lat wyjechałam na studia do Florencji, do miejsca tak dla mnie odległego, jakby leżało w innym kraju. Powiedziałam Gianniemu: rób co chcesz, ale błagam cię, nie zostawiaj ich u krewnych w Neapolu. Gianni wykrzyczał wtedy, że zrobi z córkami to, co uważa za stosowne, że nie mam prawa się wtrącać, skoro je porzuciłam. Troszczył się o nie, to fakt, ale kiedy miał dużo pracy albo musiał jechać za granicę, bez wahania zawoził je do mojej matki, do mieszkania, w którym się urodziłam, do pokoi, gdzie ostro się awanturowałam o swoją wolność, i zostawiał je tam na wiele miesięcy.

Wiedziałam to, ubolewałam nad tym, ale nie cofnęłam się. Byłam daleko, czułam się innym człowiekiem, wreszcie naprawdę byłam sobą, dlatego pozwoliłam, żeby moje rodzinne miasto zadało dziewczynkom te same rany, które u siebie uznałam za nieuleczalne. Moja matka spisała się w tamtym czasie, zajęła się nimi, żyły sobie wypruwała, a ja ani za to, ani za nic innego nie okazałam jej wdzięczności. Przerzuciłam na nią utajoną złość, którą żywiłam sama do siebie. Kiedy odebrałam córki i zawiozłam je do Florencji, oskarżyłam ją o to, że naznaczyła je piętnem, tak jak zrobiła to ze mną. Fałszywe oskarżenia. Ona się broniła, odpowiedziała złością, była bardzo rozżalona, może dlatego wkrótce potem umarła, bo zatruł ją jej własny żal. Ostatnie, co mi powiedziała niedługo przed śmiercią, było w dialekcie: Leda, robi mi się zimno, chyba się posram ze strachu.

Tyle jej rzeczy wykrzyczałam, że lepiej w ogóle o tym nie myśleć. Skoro już wróciłam, chciałam, żeby moje córki były zależne tylko ode mnie. Czasami wydawało mi się nawet, że sama je zrobiłam, bo Gianniego już nie pamiętałam, zapomniałam jego fizyczną bliskość, nogi, tors, przyrodzenie, smak, jakbyśmy nawet się nie tknęli. A kiedy wyjechał do Kanady, to wrażenie tylko się umocniło, wydawało mi się wręcz, że wykarmiłam dziewczynki samą sobą, że dostrzegam w nich jedynie cechy odziedziczone po żeńskiej linii. I niepokój się wzmógł. Przez kilka lat Biance i Marcie źle szło w szkole, najwyraźniej były zdezorientowane. Poganiałam je, zachęcałam, zadręczałam. Mówiłam: co wy chcecie w życiu osiągnąć, gdzie zamierzacie skończyć, czy chcecie się cofnąć, zaprzepaścić wszystkie wysiłki moje i ojca, stać się jak wasza babcia, która ukończyła zaledwie szkołę podstawową? Przed Biancą skarżyłam się załamana: rozmawiałam z twoimi nauczycielami, wstydu się przez ciebie najadłam. Widziałam, jak obie zbaczają z kursu, jak robią się coraz bardziej pretensjonalne i głupie. Byłam pewna, że ugrzęzną z nauką, ze wszystkim, i przez pewien czas z ulgą oddychałam tylko wtedy, gdy wiedziałam, że się przykładają, gdy w szkole zaczynają odnosić sukcesy, gdy cienie kobiet z mojej rodziny bledną.

Biedna mama. Bo co im w gruncie rzeczy przekazała? Nic, trochę dialektu. Dzięki niej Bianca i Marta potrafią dzisiaj naśladować neapolitański akcent, powiedzieć kilka zdań. Kiedy są w dobrym humorze, śmieją się ze mnie. Przedrzeźniają moją intonację przez telefon, dzwoniąc z Kanady. Bezlitośnie parodiują dialektalne brzmienie, które słychać nawet wtedy, kiedy mówię w obcym języku, albo pewne neapolitańskie sformułowania, które przerabiam na włoski. Jak zawracanie dupy. Uśmicham się do Rosarii, myślę, co by tu powiedzieć, staram się zachować dobre maniery, chociaż ona ich nie ma. O tak, moje córki upokarzają mnie zwłaszcza w zakresie języka angielskiego, wstydzą się tego, jak mówię, zauważyłam to, kiedy razem wyjeżdżałyśmy za granicę. A przecież ja w tym języku pracuję, wydawało mi się, że posługuję się nim bez zarzutu. One jednak upierają się, że nie, i mają rację. Rzeczywiście, pomimo chwilowych wzlotów nie zaszłam zbyt daleko. W jednej chwili mogę stać się jak ta kobieta, jak Rosaria. Oczywiście musiałabym się wysilić, moja matka potrafiła płynnie przechodzić od zachowywania się jak dama do pełnego rozdrażnienia utyskiwania na nieszczęsny los, mnie zajęłoby to trochę więcej czasu, ale w końcu dałabym radę. Dziewczęta natomiast zaszły naprawdę daleko. Należą do innej epoki, przyszłość mi je odebrała.

Znowu się uśmiecham, z zażenowaniem, Rosaria nie odwzajemnia uśmiechu, rozmowa się rwie. Waham się między bojaźliwą niechęcią do tej kobiety a smutną sympatią. Wyobrażam sobie, że urodzi bez piśnięcia, w dwie godziny wypchnie z brzucha drugą siebie. Następnego dnia stanie na nogi, będzie miała dużo mleka, rzeki pożywnego mleka, szybko wróci do swoich wojenek, czujna i agresywna. Teraz już rozumiem, dlaczego nie chce, żebym widywała się z jej szwagierką, uważa ją – jak przypuszczam – za upierdliwą wykwintnisię, damulkę, która w ciąży wiecznie się uskarżała, wymiotowała. Według niej Nina jest słaba, nijaka, łatwo ulega złym wpływom, a ja, po moim strasznym wyznaniu, nie stanowię dla niej odpowiedniego towarzystwa. Dlatego pragnie ją przede mną chronić, boi się, że namieszam jej w głowie. Czuwa w imieniu brata, mężczyzny z rozciętym brzuchem. To źli ludzie, jak powiedział Gino. Stałam jeszcze przez chwilę ze stopami w wodzie, nie wiedziałam, co powiedzieć. Wczoraj i dzisiaj spoiły ze sobą wszystkie epoki mojego życia. Wróciłam pod parasol.

Zastanowiłam się nad tym, co dalej, w końcu postanowiłam. Wzięłam torbę, buty, zawiązałam na biodrach pareo i zostawiwszy książki na leżaku, a ubranie na drutach parasola, ruszyłam w stronę lasku piniowego.

Gino powiedział, że neapolitańczycy mieszkają w jednej z willi na wydmach, tuż za lasem. Szłam po linii dzielącej piasek od igieł, raz w cieniu, raz w słońcu. Po chwili zobaczyłam pretensjonalny dwupiętrowy dom tonący w trzcinach, oleandrach i eukaliptusach. O tej porze dnia cykady grały ogłuszająco.

Weszłam do cienia, szukałam ścieżki, która zaprowadziłaby mnie do willi. Wyciągnęłam z torby ulotkę i zadzwoniłam pod wskazany numer. Miałam nadzieję, że odbierze Nina. Kiedy tak czekałam, usłyszałam po mojej prawej stronie, gdzieś między drzewami, rzewliwą melodyjkę telefonu komórkowego i zaraz potem roześmiany głos Niny: no już, dosyć, przestań, daj mi odebrać.

Szybko się rozłączyłam, wzrokiem podążyłam w kierunku, z którego dochodził głos. Zobaczyłam Ninę, miała na sobie lekką, jasną sukienkę, opierała się o pień drzewa. Gino ją całował. Ona odwzajemniała pocałunek, ale z otwartymi, rozbawionymi i zarazem niespokojnymi oczami, jednocześnie łagodnie odsuwała od siebie jego dłoń, szukającą piersi.

19.

Wykąpałam się, a potem położyłam plecami do słońca, z twarzą ukrytą w ramionach. Z tej pozycji zobaczyłam, jak chłopak wielkimi krokami i z pochyloną głową wraca przez wydmy. Zabrał się za czytanie, ale nie mógł się skupić, więc wpatrzył się w morze. Czułam, jak lekkie przygnębienie z poprzedniego wieczoru przeradza się we wrogość. Wydawał się taki do rany przyłóż, przez kilka godzin dotrzymywał mi towarzystwa, był uważny, wrażliwy. Powiedział, że boi się agresywności krewnych męża Niny, przestrzegł mnie przed nimi. Ale sam nie potrafi się powstrzymać, naraża siebie i ją na wielkie ryzyko. Kusi ją, zwodzi, i to właśnie teraz, kiedy jest najbardziej podatna, przytłoczona ciężarem córki. Każdy mógł ich tam nakryć tak jak ja. Oboje mnie rozczarowali.

Fakt, że odkryłam ich relację, wywołał we mnie swego rodzaju wzburzenie. Targały mną mieszane emocje, łączyły to, co zobaczyłam, z tym, czego nie widziałam, zalewały mnie ciepłem i zimnymi potami. Ich pocałunek jeszcze mnie palił, rozgrzewał żołądek, w ustach miałam smak ciepłej śliny. Moja reakcja nie była typowa dla osoby dorosłej, lecz dla dziecka, byłam roztrzęsiona jak dziewczynka. Powróciły odległe fantazje, wizje, jak wtedy, kiedy jako dziecko wyobrażałam sobie, że moja matka w dzień i w nocy potajemnie wymyka się z domu na spotkania z kochankami, i czułam w ciele taką radość, której ona musiała doświadczać. Obudziły się we mnie pokłady, które od dziesięcioleci spoczywały gdzieś w głębi brzucha.

Nerwowo wstałam z leżaka i w pośpiechu zebrałam swoje rzeczy. Popełniłam błąd, stwierdziłam w duchu, wyjazd Bianki i Marty wcale mi nie służy. Tak mi się tylko wydawało. Od kiedy do nich nie dzwonię? Muszę je usłyszeć. Swoboda, poczucie wolności wcale nie jest czymś dobrym, jest okrucieństwem wobec siebie i wobec innych. Muszę to koniecznie powiedzieć Ninie. Jaki sens ma flirtowanie jak szesnastolatka, kiedy z córką jest źle? Nina wydawała się taka wspaniała, gdy siedziała razem z Eleną i jej lalką pod parasolem, na słońcu czy nad brzegiem morza. Na zmianę brały łyżeczką do lodów mokry piasek i udawały, że karmią Nani. Jak im było razem dobrze. Elena godzinami bawiła się sama albo z matką, widać było, że jest szczęśliwa. Przyszło mi na myśl, że w jej relacjach z lalką, u boku Niny, było więcej zmysłowej mocy niż w całym erotyzmie, jakiego doświadczy, dorastając i starzejąc się. Opuściłam plażę, nie spojrzawszy nawet w stronę Gina, w stronę Rosarii.

Jechałam do domu pustą drogą, w głowie miałam pełno obrazów i głosów. Kiedy wróciłam do dziewczynek – już tak dawno temu – dni na powrót stały się ciężkie, seks sporadyczny i dlatego spokojny, pozbawiony roszczeń. Mężczyźni, jeszcze zanim mnie pocałowali, wyjaśniali w mądrych i stanowczych słowach, że nie zamierzają porzucić żony albo że mają swoje kawalerskie nawyki, z których nie chcą rezygnować, czy też że nie myślą brać odpowiedzialności za mnie i moje córki. Nie skarżyłam się, to było do przewidzenia i jak najbardziej rozsądne. Postanowiłam, że czas wyskoków dobiegł końca, trzy lata wystarczą.

Ale tamtego ranka, kiedy zdejmowałam pościel z łóżka Brendy i jej kochanka, kiedy otworzyłam okna, aby pozbyć się ich zapachu, odkryłam w sobie pragnienie, by doświadczyć takiej przyjemności, która nie ma nic wspólnego z pierwszymi stosunkami w wieku szesnastu lat, z niewygodnym i niezaspokajającym seksem z moim przyszłym mężem, z praktykami małżeńskimi przed przyjściem na świat dziewczynek i po nim. Po spotkaniu z Brendą i jej mężczyzną w moim ciele zrodziły się nowe oczekiwania. Po raz pierwszy poczułam, że potrzebuję czegoś więcej, to było jak uderzenie w pierś, nie miałam jednak śmiałości przyznać się do tego, wydawało mi się, że takie myśli nie przystają mojemu stanowi, ambicjom kobiety wykształconej i mądrej.

Mijały dni, tygodnie, ślad po parze zakochanych całkowicie się zatarł. Ale ja nie odnalazłam spokoju, a moje fantazje straciły umiar. Przed mężem milczałam, ani razu nie spróbowałam pogwałcić ani naszych seksualnych zwyczajów, ani erotycznego słownictwa, jakie przez lata wypracowaliśmy. Za to gdy się uczyłam, robiłam zakupy, stałam w kolejce, żeby zapłacić rachunki, nagle ogarniały mnie pragnienia, które budziły we mnie zarazem skrępowanie i podniecenie. Wstydziłam się ich, zwłaszcza kiedy nachodziły mnie, gdy byłam z córkami. Śpiewałam z nimi piosenki, czytałam bajki przed spaniem, pomagałam Marcie jeść, myłam je, ubierałam i czułam się niegodna, nie potrafiłam uspokoić myśli.

Pewnego ranka zadzwonił do mnie mój profesor z uniwersytetu, powiedział, że otrzymał zaproszenie na międzynarodową konferencję poświęconą Forsterowi. Radził, żebym też się wybrała – zajmowałam się tym tematem – uważał, że będzie to z korzyścią dla mojej pracy. Jakiej pracy? Do niczego nie doszłam, zresztą on też nie zrobił wiele, żeby mi to ułatwić. Podziękowałam. Nie miałam pieniędzy, nie miałam co na siebie włożyć, mój mąż przechodził nieciekawy okres, miał dużo roboty. Po wielu dniach nerwówki i przygnębienia postanowiłam, że nie jadę. Wtedy profesor wyraził ubolewanie. Powiedział, że opuściłam się, to mnie zdenerwowało, nie słyszeliśmy się przez jakiś czas. Kiedy znowu zadzwonił, zakomunikował, że załatwił mi darmowy przejazd i pobyt.

Nie mogłam się już wycofać. Szczegółowo zorganizowałam cztery dni, podczas których miało mnie nie być: gotowe jedzenie w lodówce, pomoc przyjaciółek, szczęśliwych, że mogą się przysłużyć nieco szalonemu naukowcowi, pewna smutna studentka gotowa zatroszczyć się o dziewczynki w razie, gdyby ojcu wypadły nieprzewidziane spotkania. Wyjechałam, zostawiwszy wszystko w absolutnym porządku, tylko Marta była nieco przeziębiona.

Samolot do Londynu był pełen znanych akademików i młodych pracowników naukowych, moich rywali, z tym że o wiele bardziej obecnych i aktywnych w wyścigu o etat. Profesor, który mnie zaprosił, siedział zamyślony i zajmował się swoimi sprawami. Był to człowiek cierpki, z dwójką dorosłych już dzieci, z subtelną i uprzejmą żoną, o wielkim doświadczeniu w nauczaniu i bezgranicznej kulturze. A mimo to za każdym razem, kiedy miał przemawiać publicznie, wpadał w panikę. Podczas całego lotu bez ustanku poprawiał swój wykład, a w hotelu z marszu poprosił mnie, żebym go przeczytała i stwierdziła, czy brzmi przekonująco. Przeczytałam, uspokoiłam go, że jest porywający, na tym polegało moje zadanie. Pobiegł gdzieś i przez pół dnia go nie widziałam. Pojawił się dopiero późnym popołudniem, kiedy miał przemawiać. Ładnie wyrecytował po angielsku swój tekst, ale ponieważ podniosło się kilka głosów krytyki, poczuł się dotknięty, odpowiedział sucho, a potem zamknął się w swoim pokoju i nie pojawił nawet na kolacji. Siedziałam przy stole z innymi szeregowymi, prawie cały czas w milczeniu.

Zobaczyłam go następnego dnia, przed wyczekiwanym przez wszystkich wystąpieniem profesora Hardy'ego, niezwykle cenionego badacza z prestiżowego uniwersytetu. Mój profesor nawet się ze mną nie przywitał, był z innymi kolegami po fachu. Znalazłam miejsce w głębi sali i z gorliwością otworzyłam notatnik. Pojawił się Hardy, miał pod pięćdziesiątkę, był niski, szczupły, o miłej aparycji i niesamowicie niebieskich oczach. Mówił niskim i ujmującym głosem, ku własnemu zaskoczeniu zaczęłam się zastanawiać, czy chciałabym, żeby mnie dotykał, pieścił, całował. Nagle, po mniej więcej dziesięciu minutach wystąpienia, usłyszałam swoje imię i nazwisko, jakby wydobyły się z moich erotycznych halucynacji, a nie z mikrofonu, przez który mówił Hardy.

Nie wierzyłam, a mimo to cała spłonęłam. On nie przerywał, był zdolnym mówcą, tekstem jedynie się podpierał, teraz improwizował. Powtórzył moje nazwisko raz, dwa razy, trzy. Widziałam, jak moi koledzy z uniwersytetu rozglądają się za mną po sali, drżałam, miałam spocone dłonie. Nawet mój profesor odwrócił się ze zdziwioną miną, odwzajemniłam spojrzenie. Angielski uczony cytował fragment mojego artykułu, jedynego, jaki opublikowałam, tego, który swego czasu dałam Brendzie. Cytował go z podziwem, skrupulatnie analizował pewien ustęp, posługiwał się nim, by wzbogacić swoje wystąpienie. Wyszłam z sali, zanim on skończył i rozległy się oklaski.

Pobiegłam do swojego pokoju, czułam się tak, jakby wszystkie płyny ustrojowe buzowały mi pod skórą, pękałam z dumy. Zadzwoniłam do męża, do Florencji. Wykrzyczałam przez słuchawkę, że spotkało mnie coś niewiarygodnego. On powiedział, że pięknie, gratuluję, cieszę się, i zakomunikował mi, że Marta na sto procent złapała ospę wietrzną, lekarz stwierdził, że nie ma wątpliwości. Rozłączyłam się. Ospa Marty próbowała wedrzeć się do mojego wnętrza z falą niepokoju, ale zamiast dotychczasowej pustki napotkała radosny szał, poczucie siły, wesołe zmieszanie, intelektualny triumf i fizyczną rozkosz. Co tam ospa, pomyślałam, Bianca też ją miała, minie. Byłam sama sobą zachwycona. Ja, ja, ja: taka jestem, to umiem robić, to *muszę* robić.

Profesor zadzwonił do mojego pokoju. Nie było między nami poufałości, on miał odpychającą osobowość. Zawsze mówił nieco zachrypniętym głosem, jakby gniewnie, nigdy mnie nie doceniał. Przystał na moje naleganie ambitnej absolwentki, niczego jednak nie obiecał, zazwyczaj zrzucał na mnie najnudniejsze obowiązki. Teraz jednak mówił przyjaźnie, był zmieszany, mamrotał słowa uznania. Mówił jednym tchem: musi się pani bardziej przyłożyć, proszę szybko dokończyć nowy esej, publikacje są ważne, poinformuję Hardy'ego o naszej pracy, na pewno będzie chciał panią poznać. Wykluczyłam taką możliwość, kimże ja jestem. On naciskał: na pewno.

Podczas obiadu posadził mnie obok siebie i od razu zalała mnie nowa fala przyjemności, bo uświadomiłam sobie, że wszystko wokół uległo zmianie. Z anonimowej pomocnicy, pozbawionej nawet prawa do krótkiego naukowego odczytu na koniec dnia, w ciągu godziny przerodziłam się w młodą badaczkę o pewnej międzynarodowej sławie. Wszyscy obecni Włosi, młodzi i starzy, przychodzili z gratulacjami. Podeszło też kilku cudzoziemców. Na koniec do sali wszedł Hardy, ktoś szepnął mu coś na ucho i wskazał stół, przy którym siedziałam. On popatrzył na mnie przez chwilę, ruszył w stronę swojego stołu, stanął, cofnął się i podszedł, żeby się przedstawić. Przedstawić się mnie, grzecznie.

Wtedy mój profesor powiedział mi na ucho: to poważny naukowiec, ale dużo pracuje, starzeje się, nudzi. I dodał: gdyby była pani brzydka albo stara, albo gdyby była pani mężczyzną, poczekałby przy własnym stole na należyty hołd, a następnie zbyłby panią uprzejmie, aczkolwiek chłodno. Wydało mi się to czystą podłością. Kiedy złośliwie napomykał, że z pewnością jeszcze tego samego wieczoru Hardy przystąpi do natarcia, odparłam cicho: może interesuje go przede wszystkim to, że napisałam coś istotnego. Nie skomentował, odburknął: tak, a kiedy nie mogąc powstrzymać radości, powiedziałam, że Hardy zaprosił mnie na kolację do swojego stołu, nic nie powiedział.

Kolację zjadłam z Hardym, mówiłam z polotem i swobodą, sporo wypiłam. Potem poszliśmy na długi spacer, a w drodze powrotnej – była już druga – zaprosił mnie do swojego pokoju. Zrobił to szeptem, taktownie i żartobliwie. Zgodziłam się. Zawsze uważałam stosunki erotyczne za coś ostatecznego, za lepką rzeczywistość, za najmniej pośredni kontakt z innym ciałem. Po tym doświadczeniu przekonałam się, że są skrajnym wytworem wyobraźni. Im większa jest przyjemność, tym bardziej to drugie ciało staje się marzeniem, nocną reakcją podbrzusza, piersi, ust, odbytu, każdego pojedynczego centymetra skóry na pieszczoty i uderzenia obcego bytu, definiowalnego w oparciu o potrzebę chwili. Wiele włożyłam w to spotkanie i wydawało mi się, że od zawsze kocham tego mężczyznę – choć dopiero go poznałam – i że pragnę tylko jego.

Po powrocie Gianni wyrzucił mi, że w ciągu czterech dni, chociaż Marta była chora, zadzwoniłam zaledwie dwa razy. Odparłam: byłam bardzo zajęta. Powiedziałam też, że po tym, co mnie spotkało, będę musiała przyłożyć się do pracy, żeby sprostać oczekiwaniom. Zaczęłam prowokacyjnie spędzać na uniwersytecie po dziesięć godzin dziennie. Mój profesor nagle stał się pomocny i od razu po powrocie do Florencji zatroszczył się, żebym szybko znowu coś opublikowała, a razem z Hardym załatwił mi wyjazd na jego uniwersytet. Weszłam w fazę podekscytowanej i zarazem bolesnej aktywności. Harowałam w dzień i w nocy i cierpiałam, ponieważ nie potrafiłam żyć bez Hardy'ego. Pisałam do niego długie listy, dzwoniłam. Jeśli Gianni był w domu, a był zwłaszcza w soboty i w niedzielę, biegłam do budki telefonicznej, ciągnąc ze sobą Biancę i Martę, żeby nie budzić podejrzeń. Bianca słuchała rozmów, i choć toczyły się po angielsku, wszystko pojmowała bez potrzeby rozumienia, ja zdawałam sobie z tego sprawę, ale nie wiedziałam, co robić. Nie zapominałam, że dziewczynki stoją koło mnie w milczeniu, zagubione, nigdy nie zapomnę. Mimo to wbrew własnej woli tryskałam radością, szeptałam czułe słówka, odpowiadałam na obsceniczne aluzje i sama je robiłam. Pilnowałam się tylko – kiedy ciągnęły mnie za spódnicę, kiedy mówiły, że są głodne, albo kiedy chciały lody czy balonik od handlarza stojącego kilka kroków dalej – żeby nie wrzasnąć: dosyć, idę sobie, więcej mnie nie zobaczycie, dokładnie tak, jak moja matka, gdy wpadała w rozpacz. Ona nigdy nas nie porzuciła, pomimo wykrzykiwanych pogróżek; ja natomiast zostawiłam córki prawie bez zapowiedzi.

Prowadziłam, nie widząc kierownicy, nie widząc drogi. Przez okna wpadały gorące podmuchy wiatru. Zaparkowałam pod domem, przed oczami miałam Biancę i Martę, takie wystraszone, takie małe, jak małe były osiemnaście lat temu. Cała płonęłam, od razu weszłam pod prysznic. Zimna woda. Długo się nią zlewałam, patrząc, jak po nogach, po stopach, po białym brodziku spływa piasek. Rozpalenie mija od razu. Na moje ciało opada chłód krzywego skrzydła, *the chill of the crooked wing*. Wytrzeć się, ubrać. Nauczyłam moje córki tego fragmentu z Audena, to było nasze hasło porozumiewawcze, gdy jakieś miejsce nam się nie podobało albo gdy miałyśmy zły humor, albo gdy po prostu dzień był brzydki i zimny. Nieszczęsne dzieci, od małego zmuszane do światłych sformułowań nawet w domu. Wzięłam torbę, wyniosłam ją na balkon, na słońce, wysypałam zawartość na stół. Lalka upadła na bok, odezwałam się do niej tak, jak mówi się do kota czy psa, zorientowałam się, co robię, i natychmiast zamilkłam. Postanowiłam zająć się Nani, by mieć towarzystwo, by się uspokoić. Poszukałam alkoholu, chciałam zmyć z niej ślady długopisu. Szorowałam jak należy, ale efekt mnie nie zadowolił. Chodź tu, Nani ślicznotko. Założymy majteczki, skarpetki, buty. Założymy sukieneczkę. Jaka jesteś elegancka. Zastanowiłam się nad imieniem, którym ciągle się posługiwałam. Dlaczego spośród licznych, jakich używały Elena i Nina, wybrałam właśnie to. Spojrzałam na mój zeszyt, zapisałam wszystkie: Neni, Nile, Nilotta, Nanicchia, Nanuccia, Nennella. Nani. Masz wodę w brzuchu, kochanie. Zachowaj tę płynną czerń w sobie. Siedziałam przy stole i suszyłam na słońcu włosy, od czasu do czasu przeczesywałam je palcami. Morze było zielone.

Ja też kryłam w sobie, w ciszy, wiele ciemnych spraw. Niewdzięczność wobec Brendy na przykład. To ona dała Hardy'emu mój tekst, sam mi to powiedział. Nie wiem, skąd się znali, nie chciałam wiedzieć, jakie wzajemne przysługi ich łączyły. Dzisiaj wiem tylko, że mój artykuł nigdy nie zyskałby rozgłosu, gdyby nie Brenda. Wtedy jednak nikomu o tym nie powiedziałam, nawet Gianniemu, nawet mojemu profesorowi, a przede wszystkim nigdy nie szukałam z nią kontaktu. Przyznałam się do tego tylko w liście do córek, przed dwoma laty, tym, którego nawet nie przeczytały. Napisałam: potrzebowałam wiary, że do wszystkiego doszłam sama. Chciałam mieć coraz silniejsze poczucie siebie samej, swoich zasług, własnej, od niczego niezależnej wartości.

Szanse pojawiały się jedna po drugiej, jakby na potwierdzenie tego, o czym zawsze marzyłam. Byłam dobra: nie musiałam udawać jak moja matka, ja naprawdę byłam niepospolitą istotą. Do takiego wniosku w końcu doszedł mój profesor z Florencji. Do takiego wniosku doszedł wybitny i elegancki profesor Hardy i on chyba najbardziej ze wszystkich w to wierzył. Wyjechałam do Anglii, wróciłam, znowu wyjechałam. Mój mąż się przestraszył, nie wiedział, co się dzieje. Protestował, że on nie da rady pracować i jednocześnie zajmować się dziewczynkami. Odpowiedziałam, że go zostawiam. Nie zrozumiał, pomyślał, że mam depresję, szukał jakiegoś wyjścia, zadzwonił do mojej matki, krzyczał, że powinnam myśleć o dziewczynkach. Powiedziałam, że nie mogę dłużej z nim być, że muszę zrozumieć, kim jestem, jakie mam realne szanse i inne tego typu zdania. Nie mogłam wywrzeszczeć mu w twarz, że ja już wszystko o sobie wiem, że mam tysiące pomysłów, prowadzę badania, kocham innych mężczyzn, że zakochuję się w każdym, kto mi mówi, że jestem zdolna, mądra, w każdym, kto jest dla mnie wyzwaniem. Uspokoił się. Przez jakiś czas usiłował być wyrozumiały, potem wyczuł, że kłamię, wkurzył się, przeszedł do obelg. W pewnym momencie wrzasnął: rób, co chcesz, idź precz.

Nie wierzył, że naprawdę mogę odejść bez dziewczynek. Ale ja je zostawiłam, wyjechałam na dwa miesiące, ani razu nie zadzwoniłam. To on mnie ścigał, zamęczał. Wróciłam tylko po to, żeby spakować książki i notatki.

Kupiłam wtedy Biance i Marcie sukienki w prezencie. Chciały, żebym je im założyła, były takie wątłe i miękkie. Mój mąż poprosił mnie grzecznie na bok, błagał, żebyśmy jeszcze raz spróbowali, rozpłakał się, powiedział, że mnie kocha. Odmówiłam. Pokłóciliśmy się, zamknęłam się w kuchni. Po chwili usłyszałam delikatne pukanie. Weszła Bianca z poważną miną, a za nią nieśmiało siostra. Bianca wzięła z talerza pomarańczę, otworzyła szufladę, podała mi nóż. Nie rozumiałam, o co chodzi, buzował we mnie gniew, nie mogłam się doczekać, aż ucieknę z tego domu, zapomnę o nim, zapomnę o wszystkim. Zrobisz nam węża? – zapytała Bianca w imieniu swoim i Marty, a Marta uśmiechnęła się do mnie zachęcająco. Usiadły naprzeciwko mnie w wyczekującej pozie, w swoich nowych sukienkach, jak grzeczne i eleganckie kobietki. Dobrze, powiedziałam, wzięłam pomarańczę, zaczęłam obierać ją ze skórki. Dziewczynki wpatrywały się we mnie. Czułam na sobie ich spojrzenia, miały mnie zmiękczyć, ale o wiele silniejsza od nich była obietnica pełnego życia, nowych kolorów, nowych ciał, nowej inteligencji, języka, który mogłam wreszcie posiąść, jakby to był mój język, i nic z tego, ale to nic nie dało się pogodzić z tymi czterema ścianami, w których obie patrzyły na mnie z nadzieją. Jak sprawić, żeby stały się niewidzialne, żeby nie słyszeć więcej potrzeb ich ciał, o wiele pilniejszych i przemożniejszych niż własne. Skończyłam obierać pomarańczę i wyszłam. Od tamtej chwili nie widziałam ich ani nie słyszałam przez trzy lata.

20.

Rozległ się dzwonek domofonu, brutalne elektryczne wyładowanie, które dotarło aż na balkon.

Odruchowo spojrzałam na zegarek. Była druga po południu, w miasteczku nikogo nie znałam na tyle dobrze, żeby mógł dzwonić o tej porze. Przyszedł mi do głowy tylko Gino. Wie, gdzie mieszkam, może chce prosić o radę.

Ktoś znowu zadzwonił domofonem, krótko, mniej zdecydowanie. Wyszłam z balkonu, poszłam odebrać.

– Kto tam?

– Giovanni.

Westchnęłam, lepiej on niż zamknięte słowa w głowie, przekręciłam zamek. Byłam na bosaka, poszukałam więc sandałów, zapięłam bluzkę, wygładziłam spódnicę, poprawiłam jeszcze

wilgotne włosy. Jak tylko rozległ się dzwonek
u drzwi, otworzyłam. Stał przede mną ogorza-
ły od słońca, z białymi, dokładnie zaczesanymi
włosami, w nieco krzykliwej koszuli, granato-
wych spodniach w idealny kancik, błyszczących
butach i z pakunkiem w dłoni.

— Zajmę wam tylko minutkę.

— Proszę wejść.

— Widziałem samochód, powiedziałem sobie, pani już wróciła.

— Proszę się rozgościć.

— Nie chcę przeszkadzać, może lubicie ryby,
świeżo złowione.

Wszedł, podał mi pakunek. Zamknęłam
drzwi, przyjęłam podarunek, uśmiechnęłam się
na siłę i powiedziałam:

— Jest pan bardzo uprzejmy.

— Jedliście już obiad?

— Nie.

— Te ryby można jeść nawet na surowo.

— Okropność.

— W takim razie smażone, i jeszcze gorące.

— Nie umiem ich wyczyścić.

Z nieśmiałego w jednej chwili stał się na-
chalny. Znał dom, ruszył prosto do kuchni, zaczął patroszyć rybę.

– Zaraz się z tym uwinę – powiedział. – W minutkę.

Patrzyłam drwiąco, jak wytrawnymi ruchami wyciąga wnętrzności z pozbawionych życia istot, a potem zdrapuje łuski, żeby zedrzeć z nich barwy i połysk. Pomyślałam, że jego przyjaciele prawdopodobnie czekają w barze, żeby się dowiedzieć, czy dopiął swego. Doszłam do wniosku, że błędem było go wpuszczać, i jeśli moje przypuszczenia są słuszne, będzie u mnie siedział tak długo, żeby to, co potem opowie, brzmiało wiarygodnie. Wszyscy faceci, bez względu na wiek, mają w sobie coś patetycznego. Nieśmiałą zuchwałość, bojaźliwą śmiałość. Dzisiaj sama nie wiem, czy ich słabości wzbudzały we mnie miłość czy tylko czułe zrozumienie. Nieważne, jak sprawy się potoczą, Giovanni i tak będzie się chwalił fenomenalną erekcją podczas stosunku z przyjezdną, bez pomocy tabletek i pomimo wieku.

– Gdzie jest olej?

Ze znajomością rzeczy zabrał się za smażenie, nie przestając nerwowo sypać słowami, jakby nie nadążał z budową zdań za gnającymi myślami. Wspominał przeszłość, kiedy morze obfitowało w ryby, naprawdę dobre w smaku.

Mówił o zmarłej trzy lata temu żonie i o dzieciach. Powiedział też:

— Mój najstarszy syn jest o wiele starszy od was.

— Nie wierzę, jestem już wiekowa.

— Jaka wiekowa, macie co najwyżej czterdzieści lat.

— Nie.

— To czterdzieści dwa, czterdzieści trzy.

— Czterdzieści osiem, Giovanni, i dwie dorosłe córki, jedna ma dwadzieścia cztery lata, a druga dwadzieścia dwa.

— Mój syn ma pięćdziesiąt lat, urodził się, gdy ja miałem dziewiętnaście, a moja żona zaledwie siedemnaście.

— Ma pan sześćdziesiąt dziewięć lat?

— Tak i jestem dziadkiem trójki wnuków.

— Dobrze się pan trzyma.

— To tylko pozór.

Otworzył jedyną butelkę wina, jaką miałam, czerwonego, z supermarketu, rybę zjedliśmy przy stoliku w salonie, siedząc ramię w ramię na kanapie. Była nadzwyczaj dobra, rozgadałam się, na dźwięk własnego głosu humor mi się poprawił. Mówiłam o pracy, o córkach, przede wszystkim o nich. Powiedziałam: nigdy nie przysporzyły mi większych problemów. Dobrze się uczyły, przechodziły z klasy do klasy, obroniły się z najwyższymi notami, zostały wybitnymi naukowcami, jak ojciec. Teraz mieszkają w Kanadzie, młodsza – powiedzmy – żeby się specjalizować, starsza ze względu na pracę. Cieszę się, wypełniłam swój matczyny obowiązek, udało mi się utrzymać je z dala od dzisiejszych zagrożeń.

Ja mówiłam, on słuchał. Od czasu do czasu rzucał coś o sobie. Najstarszy syn został geometrą, jego żona pracuje na poczcie; córka wyszła za dobrego chłopaka, tego, który ma kiosk na placu; drugi syn sprawia kłopoty, nie chciał się uczyć, zarabia tylko latem, obwożąc turystów na łódce; najmłodsza córka jest nieco do tyłu z egzaminami, przeszła ciężką chorobę, ale teraz będzie się bronić, jako pierwsza w rodzinie.

Z wielką czułością opowiedział też o wnukach, wszystkie z najstarszego syna, reszta jest bezdzietna. Atmosfera zrobiła się przyjemna, smak ryb – to były barweny – kieliszek wina, światło bijące od morza prosto w okna balkonu sprawiły, że zaczęłam czuć się swobodnie i pozytywnie patrzeć na świat. On opowiadał o wnukach, a ja o moich córkach, kiedy były małe.

Raz, dwadzieścia lat temu, ja i Bianca świetnie bawiłyśmy się na śniegu; ona miała trzy lata, ubrana była w różowy kombinezon z kapturem obszytym białym futerkiem, jej policzki były całe czerwone; wchodziłyśmy na górkę, ciągnąc za sobą sanki, potem Bianca siadała z przodu, ja za nią, obejmowałam ją mocno i jechałyśmy pędem w dół, obie piszczałyśmy z radości, a kiedy już byłyśmy na dole, róż dziecięcego kombinezonu, czerwień policzków, wszystko znikało pod warstwą błyszczącego szronu, widać było tylko jej szczęśliwe oczy i buzię, która mówiła: mama, jeszcze.

Opowiadałam, a na myśl przychodziły mi tylko radosne chwile, czułam tęsknotę – ale nie smutną, tylko przyjemną – za ich małymi ciałkami, za ich pragnieniem, by czuć, lizać, całować, obejmować. Marta codziennie wypatrywała mnie przez okno i jak tylko widziała, że wracam z pracy, nikt jej nie mógł powstrzymać, otwierała drzwi na klatkę, biegła w dół, to miękkie, spragnione mnie ciałko pędziło tak szybko, że bałam się, iż upadnie, machałam do niej: powoli, nie biegnij, miała zaledwie kilka lat, ale była zwinna i pewna siebie, stawiałam torbę na ziemi, kucałam, otwierałam ramiona, żeby ją objąć, a ona wpadała w moje ciało jak pocisk, prawie mnie przewracała, przytulałam ją, ona też mnie przytulała.

Czas ucieka, powiedziałam, zabiera ze sobą ich ciałka, tylko ramiona o nich pamiętają. Dzieci rosną, dorastają do ciebie, przerastają cię. Gdy Marta miała szesnaście lat, była już wyższa ode mnie. Bianca została niska, sięga mi do ucha. Czasami siadają mi na kolanach, jak wtedy, gdy były małe, mówią jednocześnie, głaszczą mnie, całują. Podejrzewam, że Marta wychowała się w strachu o mnie, starając się mnie chronić, jakby to ona była dorosła, a ja dzieckiem, i to właśnie ten wysiłek uczynił ją taką płaczliwą, zrodził tak silne poczucie nieprzystosowania. Ale nie mam pewności. Bianca z kolei podobna jest do ojca, mało wylewna, ale i ona czasami sprawia wrażenie, jakby swoimi suchymi, ostrymi zdaniami, prośbami brzmiącymi bardziej jak polecenia usiłowała mnie wychować dla mojego dobra. Wiadomo, jakie są dzieci, czasami kochają poprzez pieszczoty, innym razem usiłują cię stworzyć na nowo, wymyślić od podstaw, jakby uważały, że nie jesteś taka, jaka powinnaś być, i muszą cię nauczyć, jak się zachowywać, jakiej muzyki słuchać, jakie książki czytać, jakie filmy oglądać, jakich słów używać, a jakich nie, bo są przestarzałe i nikt już tak nie mówi.

— Myślą, że wiedzą lepiej — stwierdził Giovanni.

— Czasami tak jest — powiedziałam — bo do tego, czego my ich nauczyliśmy, dodają to, czego nauczyły się bez nas, w swoim czasie, który nie jest naszym czasem.

— Jest gorszy.

— Tak pan myśli?

— Rozpieściliśmy je, mają żądania.

— Sama nie wiem.

— Gdy byłem dzieckiem, co ja miałem? Drewniany pistolet. Jako spust służyła klamerka do prania, na lufie była gumka. W gumkę wkładało się kamyk, zupełnie jak w procy, i przyczepiało się ją do klamerki. Tak wyglądał naładowany pistolet. Żeby wystrzelić, wystarczyło otworzyć klamerkę i kamień leciał.

Spojrzałam na niego z sympatią, zmieniłam o nim zdanie. Teraz wydawał się spokojny, przestałam go podejrzewać, że przyszedł do mnie, żeby jego koledzy myśleli, że coś między nami jest. Szukał tylko okazji, żeby złagodzić swoje rozczarowanie. Chciał porozmawiać z kobietą, która mieszka we Florencji, ma piękny samochód, wytworne ubrania jak w telewizji, jest sama na wakacjach.

— Dzisiaj ludzie mają wszystko, zadłużają się dla byle głupstwa. Moja żona grosza nie zmarnowała, za to dzisiejsze kobiety wyrzucają pieniądze przez okno.

Nawet ta jego maniera użalania się na teraźniejszość i na niedawną przeszłość oraz idealizowania przeszłości tej odleglejszej wcale mnie nie drażniła. Był to raczej jeden z wielu sposobów na wmówienie sobie, że w swoim życiu zawsze można się uwiesić na jakiejś cienkiej gałęzi i przyzwyczajać na niej do myśli, że kiedyś trzeba będzie spaść. Nie miało sensu polemizować, po co mówić: byłam jedną z tych nowoczesnych kobiet, próbowałam odróżnić się od twojej żony, może nawet od córki, nie podoba mi się twoja przeszłość. Po co dyskutować, już lepsze takie spokojne narzekanie na oklepane tematy. W pewnym momencie Giovanni rzucił melancholijnie:

— Kiedy dzieci były małe, moja żona, żeby je uspokoić, dawała im do ssania cukier owinięty w szmatkę.

— *Pupatella*.

— Wy też to znacie?

— Raz moja babcia przygotowała coś takiego dla mojej młodszej córki, która bez ustanku płakała, nie wiedzieliśmy, co jej jest.

— Widzicie? Teraz zabierają dzieci do lekarza, leczą i rodziców, i dzieci, myślą, że wszyscy są chorzy, ojcowie, matki, a nawet noworodki.

Podczas gdy on dalej wychwalał minioną epokę, ja wspominałam swoją babcię. Urodziła się w tysiąc dziewięćset szesnastym, w tamtym czasie musiała mieć mniej więcej tyle lat co on, z tym że ona była mała i przygarbiona. Przyjechałam do Neapolu z dziewczynkami. wymęczona jak zwykle, po starciu z mężem, który miał mnie odwieźć, ale w ostatniej chwili postanowił zostać we Florencji. Marta płakała, zgubił się jej smoczek, moja matka zarzuciła mi, że przyzwyczaiłam ją do ciągłego trzymania tego czegoś w buzi. Wszczęłam kłótnię, miałam już dość, bez ustanku mnie krytykowała. Wtedy moja babcia wzięła kawałek gąbki, obsypała ją cukrem, owinęła jakąś gazą, chyba taką, w jaką zawija się bombonierki, i zawiązała wstążką. Wyszła z tego malutka kukiełka, duszek w białej sukieneczce skrywającej ciało, stopy. Nagle opadły ze mnie nerwy, jak za dotknięciem czarodziejskiej różdżki. Marta, siedząc na rękach swojej prababci, włożyła do ust białą główkę duszka i przestała płakać. I nawet moja matka się opanowała, roześmiała się, powiedziała, że babcia uciszała mnie w ten sposób w dzieciństwie, gdy ona wychodziła, bo kiedy jej nie widziałam, zaczynałam krzyczeć i płakać.

Uśmiechnęłam się oszołomiona winem, oparłam głowę na ramieniu Giovanniego.

– Źle się czujecie? – zapytał speszony.

– Nie, dobrze.

– Połóżcie się.

Położyłam się na kanapie, on siedział obok.

– Zaraz minie.

– Giovanni, nic mi nie musi mijać, czuję się dobrze – odparłam łagodnie.

Patrzyłam przez okno, na niebie była tylko jedna biała, wątła chmurka, widziałam też błękitne oczy Nani, która siedziała na stole, jej wybrzuszone czoło, łysawą głowę. Biancę karmiłam piersią, Martę nie, nie dawała się przystawić, płakała, co doprowadzało mnie do rozpaczy. Chciałam być dobrą matką, nienaganną, ale ciało się buntowało. Czasami zastanawiałam się nad kobietami w przeszłości, wyniszczonymi przez zbyt wielką liczbę dzieci, nad obrzędami, które pomagały im wyleczyć albo okiełznać najbardziej rozbrykane potomstwo: jak zostawianie na noc w lesie, zanurzanie w lodowatej źródlanej wodzie.

– Może zrobię wam kawę?

– Nie, dziękuję, proszę siedzieć, proszę się nie ruszać.

Zamknęłam oczy. Na myśl przyszła mi Nina, jak stoi oparta o drzewo, jej długa szyja, piersi. Pomyślałam o sutkach, z których piła Elena. Pomyślałam o tym, jak przytulała lalkę, żeby pokazać dziewczynce, jak karmi się dziecko. Pomyślałam o małej, która naśladowała ruchy, pozycję. Tak, początki wakacji były piękne. Musiałam wyolbrzymić miłe chwile, żeby uciec od niepokoju, który wkradł się w minione dni. Koniec końców potrzebujemy przede wszystkim słodyczy, nawet jeśli tylko udawanej. Otworzyłam oczy.

– Wrócił wam kolor, wcześniej byliście cała żółta.

– Czasami morze mnie męczy.

Giovanni wstał, wskazał na balkon i powiedział ostrożnie:

– Jeśli mogę, zapaliłbym papierosa.

Wyszedł, zapalił, dołączyłam do niego.

– Wasza? – pokazując na lalkę, zapytał tonem kogoś, kto chce powiedzieć coś zabawnego dla zabicia czasu.

Przytaknęłam skinięciem.

– Ma na imię Mina, to moja maskotka.

Wziął lalkę za korpus, oniemiał, odłożył ją na stół.

– W środku jest woda.

Nic nie powiedziałam, nie wiedziałam co.

Spojrzał na mnie podejrzliwie, jakby na jedną chwilę coś go zaniepokoiło.

– Słyszeliście – zapytał – o tej biednej dziewczynce, której skradziono lalkę?

21.

Zmusiłam się do pracy, czytałam przez większą część nocy. Już jako nastolatka nauczyłam się dyscypliny: oczyszczam głowę z myśli, zamrażam ból i upokorzenia, odkładam na bok strach.

Skończyłam koło czwartej nad ranem. Rozbolały mnie plecy, tam, gdzie uderzyła szyszka. Spałam do dziewiątej, potem zjadłam śniadanie na balkonie, patrząc na drżące od wiatru morze. Nani została na noc na zewnątrz, na stole, miała wilgotną sukienkę. Przez ułamek sekundy wydało mi się, że porusza ustami i wystawia mi czerwony czubek języka, jakby dla zabawy.

Nie miałam ochoty jechać nad morze, nie miałam ochoty w ogóle opuszczać domu. Nie chciałam przechodzić przed barem i patrzeć, jak Giovanni plotkuje ze swoimi rówieśnikami, czułam jednak, że koniecznie muszę rozwiązać sprawę lalki. Spojrzałam melancholijnie na Nani, pogłaskałam ją po policzku. Żal, że ją stracę, wcale nie zelżał, wręcz przeciwnie. Miałam mętlik w głowie, wydawało mi się, że Elena może się bez niej obyć, ja natomiast nie. Z drugiej strony zachowałam się lekkomyślnie, powinnam była schować lalkę, zanim wpuściłam do domu Giovanniego. Po raz pierwszy pomyślałam, że mogłabym przerwać wakacje, wyjechać jeszcze dzisiaj, jutro. Potem wyśmiałam samą siebie, do czego to doszło, planuję ucieczkę, jakbym porwała dziecko, a nie zabawkę. Sprzątnęłam ze stołu, umyłam się, umalowałam. Włożyłam ładną sukienkę i wyszłam.

W miasteczku był jarmark. Plac, deptak, ulice i zaułki tworzyły zamknięty dla samochodów labirynt straganów, a na obrzeżach formowały się korki jak w prawdziwej metropolii. Wmieszałam się w tłum głównie kobiet, które szperały we wszelkiego rodzaju asortymencie: sukniach, płaszczach, kurtkach, trenczach, kapeluszach, butach, bibelotach, sprzęcie gospodarstwa domowego, prawdziwych i podrabianych antykach, roślinach doniczkowych, serach i salami, warzywach, owocach, kiczowatych pejzażach morskich, fiolkach z cudownymi ziołowymi preparatami. Lubię jarmarki, a zwłaszcza straganyz używaną odzieżą oraz z przedmiotami dwudziestowiecznymi. Kupuję jak leci, stare suknie, koszule, spodnie, kolczyki, szpilki, bibeloty. Zatrzymałam się, żeby poszperać w drobiazgach: kryształowy przycisk do papieru, stare żelazko, lornetka teatralna, metalowy konik morski, neapolitańska maszynka do kawy. Właśnie oglądałam szpilkę o błyszczącym, niebezpiecznie długim i spiczastym ostrzu, z czarnym bursztynem w rączce, kiedy zadzwonił telefon. To moje córki, pomyślałam, chociaż godzina była nietypowa. Spojrzałam na ekran, nie pojawiło się imię żadnej z nich, tylko numer, który wydawał mi się znajomy. Odebrałam.

– Pani Leda?

– Tak.

– Jestem matką dziewczynki, która zgubiła lalkę, tej, która…

Byłam zaskoczona, ogarnął mnie niepokój i przyjemność, serce zaczęło walić jak szalone.

– Cześć, Nina.

– Chciałam sprawdzić, czy to pani numer.

– Tak, mój.

– Widziałam panią wczoraj w lesie.

– Ja też panią widziałam.

– Chciałabym porozmawiać.

– Dobrze, proszę powiedzieć kiedy.

– Teraz.

– Teraz jestem w miasteczku na jarmarku.

– Wiem, od dziesięciu minut idę za panią. Ale ciągle mi pani ucieka, za duży tłok.

– Stoję koło fontanny. W pobliżu kramu ze starociami, nie ruszam się stąd.

Przycisnęłam dwa palce do piersi, chciałam uspokoić serce. Przesunęłam ręką po przedmiotach, przyjrzałam się temu czy owemu, ale mechanicznie, bez zainteresowania. W tłumie pojawiła się Nina, pchała przed sobą wózek z Eleną. Co chwilę przytrzymywała ręką duży kapelusz, który podarował jej mąż, żeby wiatr od morza jej go nie porwał.

– Dzień dobry – powiedziałam do dziewczynki, która miała błędny wzrok i smoczek w buzi. – Masz jeszcze gorączkę?

Nina odpowiedziała za córkę:

– Czuje się już dobrze, ale nie daje za wygraną, chce odzyskać lalkę.

Elena wyjęła smoczek z budzi i powiedziała:

– Musi brać lekarstwa.

– Nani jest chora?

— Ma w brzuchu dziecko.

Spojrzałam na nią pytająco:

— Jej dziecko jest chore?

Nina wtrąciła się z zażenowaniem, śmiejąc się:

— To taka zabawa. Moja szwagierka bierze leki, więc ona na niby podaje je także lalce.

— Czyli Nani jest w ciąży?

Nina odparła:

— Ciocia i lalka czekają na dziecko. Prawda, Eleno?

Kapelusz sfrunął jej z głowy, podniosłam go. Miała spięte włosy, w tej fryzurze jej twarz wydawała się jeszcze ładniejsza.

— Dziękuję, wiatr mi go znosi.

— Proszę poczekać — powiedziałam.

Delikatnie umieściłam jej kapelusz na głowie i przymocowałam do włosów długą szpilką z bursztynem.

— Teraz już nie spadnie. Proszę jednak uważać na dziecko i po powrocie do domu porządnie zdezynfekować szpilkę, łatwo się ukłuć.

Spytałam handlarza, ile kosztuje, Nina chciała zapłacić, sprzeciwiłam się.

— To drobnostka.

Potem przeszłyśmy na ty, ja o to poprosiłam, trochę się broniła, powiedziała, że się krępuje, ale w końcu ustąpiła. Poskarżyła się na ciężkie minione dni, dziewczynka dała jej się we znaki.

– No już, malutka, wyjmij ten smoczek – zwróciła się do córki – nie chcemy wywrzeć złego wrażenia na Ledzie.

O córce wypowiadała się z wielką troską. Powiedziała, że od kiedy Elena straciła lalkę, cofnęła się w rozwoju, że albo chce być na rękach, albo w wózku, wróciła też do smoczka. Rozejrzała się wokół, jakby szukała spokojniejszego miejsca, ruszyła z wózkiem w stronę parku. Prychnęła, była naprawdę zmęczona, zrobiła nacisk na „zmęczona", chciała, żebym odczuła jej zmęczenie nie tylko fizyczne. Nagle roześmiała się, ale to nie był wesoły śmiech, maskował złe samopoczucie.

– Wiem, że widziałaś mnie z Ginem, ale nie myśl o mnie źle.

– O nikim i niczym nie myślę źle.

– To widać. Jak tylko cię zobaczyłam, pomyślałam sobie: chciałabym być jak ta pani.

– A co we mnie takiego szczególnego?

– Jesteś ładna, wyrafinowana, widać, że sporo wiesz.

– Ja nic nie wiem.

Pokręciła energicznie głową.

— Bije od ciebie pewność siebie, niczego się nie boisz. Zrozumiałam to pierwszego dnia, kiedy pojawiłaś się na plaży. Patrzyłam na ciebie i liczyłam, że spojrzysz w moją stronę, ale ani razu nie spojrzałaś.

Przez chwilę krążyłyśmy po alejkach, wróciła do tego, co było w lasku piniowym, do Gina.

— To, co widziałaś, jest całkiem bez znaczenia.

— Przestań opowiadać bajki.

— Naprawdę, odsuwam go od siebie i zaciskam usta. Chcę tylko przez chwilę poczuć się jak dawniej, ale tak na niby.

— Ile miałaś lat, kiedy urodziłaś Elenę?

— Dziewiętnaście, Elena ma prawie trzy lata.

— Może za wcześnie zostałaś matką.

Zaprzeczyła z siłą.

— Cieszę się, że ją mam, cieszę się ze wszystkiego. To z powodu lalki. Jeśli znajdę tego, kto sprawił ból mojej dziewczynce...

— Co mu zrobisz? — zapytałam żartobliwie.

— Już ja wiem, co mu zrobię.

Pogłaskałam ją lekko po ramieniu, jakbym chciała ją uspokoić. Wyglądała tak, jakby z poczucia obowiązku naśladowała styl i wyrażenia swojej rodziny, wzmocniła też akcent neapolitański, żeby brzmieć bardziej przekonująco, i to mnie rozczuliło.

— Jest mi dobrze — podkreśliła kilkakrotnie i opowiedziała, jak zakochała się w swoim mężu, że poznała go na dyskotece, gdy miała szesnaście lat. On ją kocha, uwielbia i ją, i córkę. Znowu roześmiała się nerwowo.

— Mówi, że moje piersi mieszczą się w jego ręce.

To zdanie zabrzmiało wulgarnie. Zapytałam:

— A gdyby zobaczył cię wtedy, tak jak ja?

Nina spoważniała.

— Poderżnąłby mi gardło.

Popatrzyłam na nią, na dziecko.

— Czego ode mnie oczekujesz?

Pokręciła głową, mruknęła:

— Sama nie wiem. Rozmowy. Kiedy widzę cię na plaży, chciałabym ciągle siedzieć pod twoim parasolem i rozmawiać. Tyle że bym cię zanudziła, jestem głupia. Gino powiedział mi, że wykładasz na uniwersytecie. Po maturze poszłam na filologię, ale zdałam tylko dwa egzaminy.

— Nie pracujesz?

Znowu się roześmiała.

– Mój mąż pracuje.

– Co robi?

Zbyła pytanie niechętnym machnięciem, a w jej oczach pojawił się groźny błysk. Odparła:

– Nie chcę o nim rozmawiać, Rosaria robi zakupy, w każdej chwili może do mnie zadzwonić i skończy się mój czas.

– Nie chce, żebyś ze mną rozmawiała?

Wykrzywiła się ze złością.

– Według niej nic mi nie wolno.

Zamilkła na chwilę, potem dodała niepewnie:

– Czy mogę ci zadać osobiste pytanie?

– Spróbuj.

– Dlaczego zostawiłaś córki?

Zastanowiłam się chwilę, szukałam takiej odpowiedzi, by jej pomogła.

– Za bardzo je kochałam i wydawało mi się, że miłość do nich nie pozwala mi się realizować.

Teraz już się nie śmiała, chłonęła każde moje słowo.

– Przez trzy lata w ogóle ich nie widziałaś?

Przytaknęłam.

– I jak się bez nich czułaś?

– Dobrze. Jakbym cała się rozprysła i każda cząstka mnie spadała swobodnie w dowolnym kierunku z poczuciem zadowolenia.

– Nie cierpiałaś?

– Nie, życie mnie pochłonęło. Ale coś mi tutaj ciążyło, jakby mnie bolał brzuch. I za każdym razem, kiedy jakieś dziecko wołało mamo, obracałam się z bijącym sercem.

– Czyli wcale nie było ci dobrze.

– Było mi tak, jakbym zdobywała życie i czuła mnóstwo rzeczy naraz, w tym również niemożliwą do zniesienia tęsknotę.

Spojrzała na mnie wrogo.

– Skoro było ci dobrze, dlaczego wróciłaś?

Ostrożnie dobierałam słowa.

– Dlatego, że dotarło do mnie, że nie potrafię stworzyć nic własnego, co naprawdę dorównywałoby córkom.

Uśmiechnęła się z zadowoleniem.

– Czyli wróciłaś z miłości do córek.

– Nie, wróciłam z tego samego powodu, dla jakiego odeszłam, z miłości do siebie.

Znowu spochmurniała.

– Co chcesz przez to powiedzieć?

– Że bez nich czułam się bardziej bezużyteczna i zrozpaczona niż z nimi.

Usiłowała przewiercić mnie wzrokiem, moją pierś, czoło.

– Czyli znalazłaś to, czego szukałaś, i nie spodobało ci się?

Uśmiechnęłam się.

– Nina, to, czego szukałam, to była gmatwanina pragnień i wielkiego zarozumialstwa. Gdybym miała pecha, zmarnowałabym całe życie, żeby to zrozumieć. Ale mnie się poszczęściło i zajęło mi to tylko trzy lata. Trzy lata i trzydzieści sześć dni.

Moja odpowiedź jej nie zaspokoiła.

– Jak to się stało, że postanowiłaś wrócić?

– Któregoś ranka zrozumiałam, że jedyne, czego naprawdę pragnę, to tak obierać owoce na oczach moich córek, żeby ze skórek powstawały serpentyny, i wtedy się rozpłakałam.

– Nie rozumiem.

– Opowiem ci o tym, gdy będziemy miały więcej czasu.

Skinęła zamaszyście głową, żeby dać mi do zrozumienia, że jedyne, czego pragnie, to słuchać moich opowieści, jednocześnie zauważyła, że Elena zasnęła, wyjęła więc ostrożnie smoczek z jej budzi, zawinęła w chusteczkę i włożyła do torby. Zrobiła rozkoszną minę, żeby zakomunikować mi, jak bardzo córka ją rozczula, i pytała dalej.

– Co było po powrocie?

– Pogodziłam się z myślą, że będę żyła głównie dla dziewczynek, nie dla siebie. Powoli zaczęło mi to wychodzić.

– Czyli mija – stwierdziła.

– Co?

Wykonała ręką gest oznaczający zawroty głowy, ale też nudności.

– Skołowanie.

W tej chwili przypomniała mi się matka.

– Moja matka mówiła, że jest cała w strzępach.

Dostrzegła analogię, spojrzała wzrokiem przestraszonej dziewczynki.

– Prawda, rozdziera ci się serce, trudno ci wytrzymać ze sobą i przychodzą ci do głowy takie rzeczy, że aż wstyd.

Potem znowu zapytała, tym razem z miną kogoś, kto szuka czułości.

– Ale to mija?

Pomyślałam, że ani Bianca, ani Marta nawet nie spróbowały zadać mi takich pytań jak Nina, z taką natarczywością. Starannie dobrałam słowa, żeby minąć się z prawdą i nie skłamać.

– Moja matka zafiksowała się na tym. Ale czasy były inne. Dzisiaj, nawet jeśli nie minie, da się żyć dobrze.

Miała zwątpienie wymalowane na twarzy, chciała coś jeszcze powiedzieć, ale zrezygnowała. Wyczułam, że chętnie by mnie przytuliła, ja ją zresztą też. Wzruszenie i wdzięczność przejawiały się jako nagła potrzeba fizycznego kontaktu.

– Muszę już iść – powiedziała i odruchowo pocałowała mnie w usta, delikatnie i z zażenowaniem.

Kiedy się odsunęła, patrząc nad jej ramieniem, dostrzegłam Rosarię i jej brata, męża Niny, jak stoją w głębi parku, naprzeciwko tłumów i straganów.

22.

Powiedziałam cicho:

– Twoja szwagierka i mąż są tutaj.

W jej oczach błysnęło poirytowanie i za-skoczenie, zachowała jednak spokój, nawet nie drgnęła, żeby się odwrócić.

– Mój mąż?

– Tak.

Górę wziął dialekt, wymamrotała: co on tu, kurwa, robi, miał przyjechać jutro wieczorem, i ostrożnie zawróciła wózkiem, tak, żeby nie zbudzić dziecka.

– Mogę zadzwonić? – zapytała.

– Kiedy chcesz.

Radośnie pomachała ręką na powitanie, mąż odwzajemnił gest.

– Odprowadź mnie – powiedziała.

Odprowadziłam. Spojrzałam na rodzeństwo stojące na początku alejki i po raz pierwszy uderzyło mnie ich podobieństwo. Ta sama sylwetka, szeroka twarz, mocna szyja, gruba i wyraźnie zarysowana dolna warga. Ku własnemu zaskoczeniu pomyślałam, że są piękni: dobrze zbudowane ciała, twardo wbite w asfalt jak rośliny nawykłe do wysysania każdej najlichszej cieczy. Są jak potężne lodołamacze, nic ich nie powstrzyma. Ja nie, ja mam tylko zahamowania. Karmiony od dziecka strach przed takimi ludźmi, czasami odraza oraz pełne pychy przeświadczenie, że czeka mnie coś lepszego, że jestem bardziej wrażliwa, nie pozwalały mi dotychczas podziwiać ich determinacji. Kto powiedział, że Nina jest piękna, a Rosaria nie? Że Gino jest piękny, a ten groźny mąż nie? Popatrzyłam na kobietę w ciąży i wydało mi się, że przez brzuch odziany w żółtą sukienkę dostrzegam córkę, która się nią karmi. Pomyślałam o przygnębionej Elenie, która śpi w wózku, i o lalce. Zapragnęłam iść do domu.

Nina pocałowała męża w policzek, powiedziała w dialekcie: jestem taka szczęśliwa, że przyjechałeś wcześniej, i dodała, kiedy on już się schylał, żeby pocałować córkę: śpi, nie budź jej, wiesz przecież, że od kilku dni mnie wykań-

194

cza, a potem wskazała ręką na mnie: pamiętasz tę panią, ona znalazła Lenuccię. Mężczyzna delikatnie pocałował córkę w czoło, jest spocona, odparł też w dialekcie, na pewno nie ma już gorączki?, i podnosząc się – zobaczyłam jego ciężki brzuch pod koszulą – zwrócił się do mnie, nadal w dialekcie: jeszcze tu jesteście, macie szczęście, że nie musicie pracować, wtedy Rosaria od razu dodała z powagą, dobrze ważąc słowa: pani pracuje, Toni, pracuje nawet na plaży, ona nie próżnuje jak my, miłego dnia, pani Ledo. I poszli.

Patrzyłam, jak Nina bierze męża pod ramię i odchodzi, nie odwróciwszy się ani razu. Rozmawia, śmieje się. Wyglądała tak, jakby nagle – taka wątła i wciśnięta między męża i szwagierkę – została katapultowana na odległość o wiele większą od tej, jaka dzieliła mnie od córek.

Poza terenem, na którym odbywał się jarmark, panował chaos, jeździły auta, masy dorosłych i dzieci albo odchodziły już od straganów, albo właśnie do nich zmierzały. Wybrałam opustoszałe uliczki. Do mieszkania weszłam po schodach, ostatnie stopnie pokonałam w pośpiechu.

Lalka nadal leżała na balkonie, na stole, słońce wysuszyło jej sukienkę. Powoli ją rozebrałam, zdjęłam z niej wszystko. Przypomniałam sobie, że gdy Marta była mała, wpychała rzeczy w każdą dziurkę, chcąc w ten sposób je ukryć i mieć pewność, że potem je odnajdzie. Kiedyś znalazłam malutkie kawałki surowego makaronu w radiu. Zaniosłam Nani do łazienki i trzymając ją za brzuch, głową w dół, mocno nią potrząsnęłam. Wypluła z siebie ciemne krople wody.

Co takiego Elena do niej włożyła? Kiedy po raz pierwszy zaszłam w ciążę, byłam przeszczęśliwa, że rozwija się we mnie życie. Chciałam wszystko zrobić jak najlepiej. Kobiety w mojej rodzinie puchły, rozrastały się. Istota ulokowana w ich łonie wywoływała długą chorobę, która zmieniała je nie do poznania, i nawet po porodzie nigdy nie wracały do dawnego wyglądu. Ja natomiast chciałam kontrolować ciążę. Nie byłam jak moja babcia (siedmioro synów), nie byłam jak moja matka (cztery córki), nie byłam jak moje ciotki i kuzynki. Byłam inna i zbuntowana. Chciałam nosić swój duży brzuch z przyjemnością, cieszyć się dziewięcioma miesiącami wyczekiwania, wsłuchiwać w swój błogosławiony stan, prowadzić go i dostosować do mojego ciała, tak jak uparcie robiłam ze wszystkim od początków dojrzewania. Wyobrażałam sobie siebie jako jaśniejącą cząstkę przyszłej mozaiki. Dlatego pilnowałam się, restrykcyjnie przestrzegałam lekarskich zaleceń. Udało mi się być przez całą ciążę kobietą piękną, elegancką, aktywną i szczęśliwą. Mówiłam do istoty w moim brzuchu, puszczałam jej muzykę, czytałam teksty, nad którymi pracowałam, w języku oryginalnym, z dumą przekładałam je spontanicznie i twórczo. To, co potem stało się Biancą, dla mnie było Biancą od razu, kompletnym bytem oczyszczonym ze śluzu i krwi, uczłowieczonym, zintelektualizowanym, pozbawionym wszystkiego, co mogłoby przypominać o ślepym okrucieństwie żywej i rozrastającej się materii. Podporządkowałam sobie nawet długie i ostre bóle porodowe, traktując je jako ostateczną próbę, do której należy podejść z przygotowaniem, powstrzymałam przerażenie i zostawiłam po sobie – przede wszystkim samej sobie – godne wspomnienie.

Spisałam się. Jaka ja byłam szczęśliwa, kiedy Bianca wyszła ze mnie i na kilka sekund spoczęła w moich ramionach, i gdy zdałam sobie sprawę, że to najbardziej intensywne przeżycie, jakiego doznałam. Gdy teraz patrzę, jak Nani z głową w dół wymiotuje do umywalki ciemną cieczą wymieszaną z piaskiem, nie potrafię odnaleźć żadnego podobieństwa do mojej pierwszej ciąży, bo nawet nudności miałam krótko i nie były zbyt uciążliwe. Ale potem pojawiła się Marta. Zaatakowała moje ciało i zmusiła je do niekontrolowanej przemiany. Od pierwszej chwili objawiła się nie jako Marta, ale jako żywy kawałek żelaza w moim brzuchu. Mój organizm zamienił się w krwistą ciecz z doczepioną mulistą breją, wewnątrz której rozwijał się agresywny polip, jakże odległy od jakiegokolwiek człowieczeństwa, i choć sam karmił się i rozrastał, mnie sprowadził do pozbawionej życia zgnilizny. Plująca czernią Nani przypomina mnie, kiedy zaszłam w ciążę po raz drugi.

Już wtedy byłam nieszczęśliwa, ale jeszcze tego nie wiedziałam. Wydawało mi się, że mała Bianca od razu po swoich pięknych narodzinach znienacka uległa zmianie i zdradliwie wyssała ze mnie energię, całą siłę, wszelką fantazję. Mój zbyt zajęty mąż nawet nie zauważył, że jego córka po przyjściu na świat stała się zachłanna, wymagająca i niesympatyczna, okazała się dokładnym przeciwieństwem tego, czym była w brzuchu. Powoli zaczęłam odkrywać, że nie dam rady sprawić, by druga ciąża była równie egzaltująca co pierwsza. Głowa zapadła się w ciało, wydawało mi się, że nie ma takiej prozy, wiersza, metafory, frazy muzycznej, sceny z filmu, barwy, zdolnych poskromić mroczną bestię, którą noszę w łonie. I na tym polegał mój upadek, że zrezygnowałam z jakiejkolwiek sublimacji tego doświadczenia, że zniszczyłam szczęśliwe wspomnienie błogosławionego stanu i pierwszego porodu.

Nani, Nani. Niewzruszona lalka dalej wymiotowała. Brawo, wyplułaś do umywalki cały swój szlam. Rozchyliłam jej usta, palcem rozciągnęłam otwór w buzi, wlałam do środka wodę z kranu, a potem mocno potrząsnęłam, żeby porządnie wypłukać mroczne wnętrze tułowia, brzucha i wydobyć w końcu dziecko, które Elena tam umieściła. Zabawy. Od dziecka trzeba mówić dziewczynkom wszystko, a one same zatroszczą się o wymyślenie dla siebie takiego świata, który zaakceptują. Ja teraz też się bawiłam, matka to nic innego jak bawiąca się córka, dzięki temu mogłam myśleć. Poszukałam pęsety, w ustach coś utknęło i nie chciało wyjść. Od tego trzeba było zacząć, pomyślałam. Powinnam była od razu uświadomić sobie istnienie tego różowego, miękkiego zgrubienia, które teraz ściskałam w metalowej pęsecie. Zaakceptować to, czym jest. Biedne stworzenie pozbawione ludzkich cech. Oto dziecko, które Lenuccia włożyła swojej lalce do brzucha, żeby była w ciąży jak ciocia Rosaria. Wyjęłam je ostrożnie. To był robak żyjący na mieliźnie, nie znam jego fachowej nazwy: rybacy amatorzy zbierają je o zmierzchu, rozgrzebując mokry piasek, podobnie robili moi starsi kuzyni czterdzieści lat temu na plażach między Garigliano a Gaetą. Obserwowałam ich wtedy z obrzydzeniem i fascynacją. Chwytali robaki palcami i nabijali je na haczyk, jako przynętę, a gdy jakaś ryba brała, zdejmowali ją wprawnym ruchem i rzucali za siebie, na suchy piasek, gdzie dogorywała.

Kciukiem rozwierałam rozciągliwe usta Nani i jednocześnie powoli manewrowałam pęsetą. Czuję odrazę do wszystkiego, co pełza, ale tej śluzowatej miazgi zrobiło mi się zwyczajnie żal.

23.

Na plażę udałam się późnym popołudniem. Przyglądałam się Ninie z odległości, spod parasola, z takim samym życzliwym zainteresowaniem, jak podczas pierwszych dni wakacji. Była nerwowa, Elena nie odstępowała jej na krok.

O zachodzie, kiedy zbierała się do odejścia i jej dziewczynka wyła, że chce się jeszcze wykąpać, Rosaria wtrąciła się i zaproponowała, że ona pójdzie z małą do wody. Nina straciła równowagę i zaczęła wrzeszczeć na szwagierkę w dialekcie, używać wulgaryzmów, co przyciągnęło uwagę całej plaży. Rosaria zachowała milczenie. Interweniował za to mąż, Tonino – chwycił Ninę za ramię i zaciągnął nad brzeg. Mężczyzna ten wyglądał na kogoś, kto nigdy nie traci równowagi, nawet kiedy staje się brutalny. Mówił coś do Niny stanowczo, ale scena wyglądała jak z niemego filmu, nie docierał do mnie żaden dźwięk. Ona wpatrywała się w piasek, dotykała oczu czubkami palców, od czasu do czasu odpowiadała: nie.

Sytuacja stopniowo się uspokoiła i rodzina w grupkach ruszyła w stronę willi. Nina wymieniała chłodne uwagi z Rosarią, Rosaria niosła na rękach Elenę i co chwilę ją całowała. Zobaczyłam, że Gino idzie uporządkować leżaki, krzesełka, porzucone zabawki. Widziałam, jak bierze błękitne pareo zawieszone na szprychach parasola i starannie je składa. Jakiś chłopiec wrócił biegiem, w przelocie wyrwał mu niegrzecznie pareo z rąk i zniknął za wydmami.

Czas mijał melancholijnie i nadszedł koniec tygodnia. Już od piątku zaczął się masowy napływ plażowiczów, było gorąco. Tłok tylko wzmógł zdenerwowanie Niny. Maniakalnie pilnowała córki, zrywała się jak zwierzę, gdy dziewczynka oddalała się na kilka kroków. Nad brzegiem morza wymieniłyśmy suche powitanie, kilka słów na temat dziecka. Uklękłam przy Elenie, powiedziałam coś dla zabawy, miała zaczerwienione oczy i ślady po ukąszeniach komarów na policzkach i na czole. Rosaria podeszła, żeby zamoczyć nogi, ale zignorowała mnie, to ja się z nią przywitałam, a ona niechętnie odpowiedziała.

Przed południem zobaczyłam Tonina, Elenę i Ninę, jak jedli lody w barze na plaży. Przeszłam obok nich, żeby zamówić kawę, ale chyba mnie nie zauważyli, byli zbyt zajęci dziewczynką. Mimo to kiedy chciałam zapłacić, usłyszałam, że nie muszę, Tonino kazał skinięciem, żeby zapisano kawę na jego konto. Chciałam podziękować, ale oni już wyszli z baru, teraz stali z Eleną nad brzegiem morza, nie zwracali uwagi na małą, kłócili się.

Od czasu do czasu zerkałam w stronę Gina i za każdym razem widziałam, jak przygląda im się z daleka, udając, że się uczy. Na plaży robił się coraz większy ścisk, Nina zgubiła się wśród letników, chłopiec więc odłożył podręcznik i sięgnął po lornetkę, jakby się obawiał wielkiej fali. A ja skupiłam się nie na tym, co widział oczami wspomaganymi przez szkła powiększające, lecz raczej na tym, co sobie wyobrażał: sjestę w upalne wczesne popołudnie, kiedy wielka neapolitańska rodzina opuściła plażę, małżeńskie łoże w ciemnym pokoju, Ninę uczepioną ciała męża, pot.

Młoda matka wróciła koło piątej po południu w wesołym nastroju, u boku męża, który niósł Elenę na rękach. Gino przyjrzał się jej ze smutkiem, po czym ukrył wzrok w swojej książce. Co jakiś czas odwracał się w moją stronę, ale natychmiast spoglądał w innym kierunku. Oboje czekaliśmy na to samo: żeby weekend szybko minął, żeby na plażę wrócił spokój, żeby mąż Niny wyjechał i żeby ona znowu nawiązała z nami kontakt.

Wieczorem poszłam do kina na pierwszy lepszy film, sala była prawie pusta. Gdy światła zgasły i zaczęła się projekcja, wparowała grupka chłopców. Jedli popcorn, śmiali się, wyzywali, porównywali dzwonki telefonów, wykrzykiwali sprośności do aktorek na ekranie. Nie znoszę, gdy mi się przeszkadza podczas oglądania filmu, nawet pośledniego. Dlatego wpierw próbowałam uciszyć ich kategorycznym sykaniem, ponieważ jednak nie robiło to na nich wrażenia, odwróciłam się i powiedziałam, że jeśli się nie uspokoją, zawołam biletera. To byli chłopcy od neapolitańczyków. Zawołaj biletera, przedrzeźniali mnie, chyba nie byli obeznani z tym słowem. Jeden z nich krzyknął do mnie w dialekcie: zawołaj, suko, zawołaj tego kutasa. Wstałam i udałam się do kasy. Wyjaśniłam sytuację łysemu, flegmatycznie uprzejmemu mężczyźnie.

Zapewnił mnie, że zajmie się tym, wróciłam więc do sali, przywitana chichotami wyrostków. Mężczyzna przyszedł chwilę później, odsunął zasłonę, zajrzał. Cisza. Postał kilka minut, potem wyszedł. Natychmiast zrobiło się głośno. Pozostali widzowie milczeli, wstałam więc i krzyknęłam nieco histerycznym głosem: zaraz zadzwonię na policję. Chłopcy zaczęli śpiewać falsetem: niech żyje, niech żyje policja. Wyszłam.

Następnego dnia, w sobotę, gang wyrostków był już na plaży, jakby tylko czekali, aż się pojawię. Podśmiewali się, wytykali mnie palcami, niektórzy spoglądali w moją stronę, szemrali z Rosarią. Pomyślałam, że mogłabym zwrócić się do męża Niny, ale zaraz powstydziłam się tego, bo byłoby to zachowanie zgodne z logiką ich grupy. Koło drugiej miałam już dość tłumów i głośnej muzyki, zabrałam swoje rzeczy i sobie poszłam.

Lasek ział pustką, poczułam się tak, jakby ktoś mnie śledził. W pamięci znienacka powróciła szyszka, którą dostałam w plecy, przyspieszyłam więc. Słyszałam za sobą kroki, ogarnęła mnie panika i zaczęłam biec. Odgłosy były coraz wyraźniejsze, jakieś słowa, przytłumiony śmiech. Dźwięk cykad, zapach ciepłej żywicy już mnie nie czarowały, teraz stanowiły otoczkę dla strachu. Zwolniłam nie dlatego, że przerażenie ze mnie opadło, ale żeby zachować resztki godności. W domu poczułam się źle, raz zlewał mnie zimny pot, raz robiło mi się gorąco i miałam wrażenie, że się duszę. Położyłam się na kanapie i powoli zaczęłam się uspokajać. Musiałam czymś się zająć, posprzątałam mieszkanie. Lalka leżała głową w dół w umywalce, goła, ubrałam ją. W jej brzuchu nie było już słychać przelewającej się wody, wyobraziłam sobie jej wnętrze jako osuszoną jamę. Zrobić porządek, zrozumieć. Jedno błędne posunięcie pociąga za sobą kolejne, coraz bardziej niezrozumiałe, dlatego najważniejszą rzeczą jest przerwać ten łańcuch. Elena ucieszy się, jeśli odzyska lalkę. A może nie, bo dziecko nigdy nie chce tylko tego, o co prosi, na dodatek zaspokojone pragnienie sprawia, że to, co niewypowiedziane, staje się tym bardziej nieznośne.

Wzięłam prysznic, gdy się wycierałam, spojrzałam na siebie w lustrze. W jednej chwili moje wyobrażenie o sobie uległo zmianie. Wydałam się sobie nie odmłodniała, lecz postarzała, przesadnie wychudzona, moje ciało było tak zmizerniałe, że prawie płaskie, na czarnym wzgórku łonowym pojawiły się siwe włoski.

Poszłam do apteki, żeby się zważyć. Maszyna wydrukowała wzrost i wagę. Okazało się, że jestem o sześć centymetrów niższa i mam niedowagę. Zmierzyłam się i zważyłam jeszcze raz, wzrost i waga dodatkowo zmalały. Wyszłam zdezorientowana. Wśród moich najbardziej przerażających obaw była ta, że mogę się skurczyć, na powrót stać nastolatką, dzieckiem, być skazana na powtórne przeżycie tych etapów mojego istnienia. Bo ja zaczęłam się sobie podobać dopiero wtedy, gdy ukończyłam osiemnaście lat, kiedy opuściłam rodzinę, miasto, żeby studiować we Florencji.

Do wieczora spacerowałam po bulwarach, podskubując kawałki świeżego kokosa, prażone migdały, orzechy. Sklepy rozbłysły światłami, młodzi czarnoskórzy rozłożyli się na chodnikach ze swoimi towarami, ogniomistrz zaczął pluć długimi językami ognia, klaun robiący z kolorowych baloników różne zwierzęta skupił wokół siebie liczną dziecięcą publiczność, hałas typowy dla sobotniego wieczoru nasilił się. Zauważyłam, że na rynku przygotowywano się do tańców, postanowiłam więc poczekać.

Lubię taniec, lubię patrzeć na tańczących ludzi. Orkiestra zaczęła grać tango – zmierzyły się z nim przede wszystkim starsze pary, były niezłe. Pośród tańczących rozpoznałam Giovanniego, poruszał się z powagą i napięciem. Przybyło widzów, którzy utworzyli wokół placu zwarte koło. Przybyło też tańczących par, za to zmalały umiejętności. Teraz tańczyli ludzie w każdym wieku, grzeczni wnukowie z babciami, ojcowie z dziesięcioletnimi córkami, starsze panie ze starszymi paniami, dzieci z dziećmi, turyści i miejscowi. Nagle wyrósł przede mną Giovanni, zaprosił mnie do tańca.

Powierzyłam torbę pewnej starszej pani, jego znajomej, i ruszyliśmy w tan, to był chyba walc. Na walcu się nie skończyło. Giovanni mówił o upale, o gwieździstym niebie, o księżycu w pełni i że mule w tym roku obrodziły. Poprawił mi się nastrój. Giovanni był spocony, spięty, ale prosił mnie do kolejnych tańców, a ja się godziłam, bawiło mnie to. Dopiero kiedy w tłumie na skraju placu pojawiła się rodzina neapolitańczyków, przeprosił mnie i odszedł.

Poszłam po torbę, nie spuszczając go z oka, widziałam, jak grzecznie wita się z Niną, z Rosarią i na koniec z Toninem, ze szczególną rewerencją. Próbował nawet niezdarnie przypochlebić się Elenie, która na rękach matki jadła watę cukrową, dwukrotnie większą od jej buzi. Kiedy powitanie dobiegło końca, Giovanni stanął przy nich sztywno, ze skrępowaniem, w milczeniu, ale jakby z dumą, że może się pokazać w takim towarzystwie. Zrozumiałam, że dla mnie wieczór się skończył i pora wracać do domu. Zauważyłam jednak, że Nina przekazuje córkę Rosarii i zmusza męża do tańca. Zatrzymałam się więc jeszcze na chwilę, żeby na nich popatrzeć.

Pomimo że znajdowała się w objęciach niezdarnego partnera – a może właśnie dzięki temu – jej ruchom nie brakowało naturalnego wdzięku i harmonii. Poczułam, że ktoś dotyka mojej ręki. To był Gino, pojawił się nagle, jak zwierzę, które wyskoczyło ze swej kryjówki. Zapytał, czy z nim zatańczę, odparłam, że jestem zmęczona, zgrzana, było mi jednak tak wesoło i lekko, że wzięłam go za rękę i poszliśmy tańczyć.

Szybko się zorientowałam, że prowadzi mnie w stronę Niny i jej męża, chciał, żeby ona nas zobaczyła. Nie stawiałam oporu, spodobał mi się pomysł pokazania się w ramionach jej adoratora. Niełatwo jednak było się przedrzeć przez tłum par, dlatego oboje z tego zrezygnowaliśmy. Musiałam trzymać torbę na ramieniu, ale trudno. I tak było miło tańczyć ze szczupłym, wysokim, opalonym młodzieńcem o błyszczących oczach, zmierzwionych włosach i chudych palcach. Jego dotyk nie miał nic wspólnego z dotykiem Giovanniego. Ich ciała, ich zapachy były różne. To sprawiło, że czas dla mnie jakby się rozstąpił: miałam wrażenie, że wieczór na placu rozerwał się na pół i w magiczny sposób znalazłam się w dwóch różnych porach mojego życia. Kiedy muzyka ucichła, powiedziałam, że jestem zmęczona, Gino zaoferował się, że mnie odprowadzi. Zostawiliśmy za sobą plac, bulwary, muzykę. Rozmawialiśmy o jego egzaminie, o uniwersytecie. Przy bramie spostrzegłam, że zwleka z pożegnaniem.

— Chcesz wejść? – zapytałam.

Zaprzeczył głową, był zażenowany.

— Piękny prezent zrobiła pani Ninie – powiedział.

Nie spodobało mi się, że mieli okazję się zobaczyć i że ona pokazała mu szpilę.

— Pani uprzejmość sprawiła jej wielką radość – dodał.

Burknęłam, że tak, że się cieszę. On wtedy wyrzucił z siebie:

— Muszę panią o coś zapytać.

— O co?

Nie patrzył mi w twarz, skupił wzrok na ścianie za moimi plecami.

– Nina chciałaby wiedzieć, czy byłaby pani skłonna użyczyć nam mieszkania na kilka godzin.

Poczułam się nieswojo, fala złego nastroju znowu zatruła mi krew. Przyjrzałam się chłopakowi, żeby zrozumieć, co tak naprawdę kryje się za tymi słowami, czy prośby nie podyktowało jego własne pożądanie. Odparłam szorstko:

– Powiedz Ninie, że chcę z nią porozmawiać.

– Kiedy?

– Kiedy będzie mogła.

– Jej mąż wyjeżdża jutro wieczorem, wcześniej to niemożliwe.

– Może być poniedziałek rano.

Zamilkł, był niespokojny, nie mógł się zdecydować na odejście.

– Jest pani zła?

– Nie.

– Ale zrobiła pani straszną minę.

Powiedziałam lodowato:

– Gino, mężczyzna, który zajmuje się moim mieszkaniem, zna Ninę i utrzymuje kontakty z jej mężem.

Uśmiechnął się pogardliwie:

— Giovanni? On się nie liczy, wystarczy dziesięć euro, żeby go uciszyć.

Wtedy rzuciłam ze złością, której nie potrafiłam dłużej kryć:

— Dlaczego postanowiliście poprosić o to właśnie mnie?

— Nina tak chce.

24.

Nie mogłam zasnąć. Zastanowiłam się, czy nie zadzwonić do moich dziewczyn, ciągle o nich pamiętałam, ale w całym tym zamieszaniu nieustannie odkładałam to na później. Tym razem również zrezygnowałam. Westchnęłam: wyliczą mi rzeczy, których potrzebują. Marta powie, że Biance wysłałam notatki, ale zapomniałam o tym – nie wiem o czym, ale coś zawsze się znajdzie – o co ona mnie prosiła. Od dziecka to samo, żyją w przeświadczeniu, że bardziej zajmuję się tą drugą. Kiedyś chodziło o zabawki, słodycze, a nawet o ilość całusów, jakie im dawałam. Potem zaczęły się kłócić o ubrania, buty, skutery, samochody, jednym słowem o pieniądze. Teraz muszę uważać, żeby każdej z nich dawać dokładnie tyle samo, ile drugiej, bo obie prowadzą sekretną i zawistną księgowość. Już jako dzieci wyczuły, że moja miłość jest ulotna, dlatego oceniają ją w oparciu o konkretne dostarczane przeze mnie usługi i o rozdawane dobra. Czasami myślę, że jestem dla nich jedynie materialnym dziedzictwem, o które będą musiały się kłócić po mojej śmierci. Nie chcą, żeby z pieniędzmi, z nielicznymi dobrami stało się tak, jak według nich było z przekazaniem moich fizycznych cech. Nie, nie miałam ochoty na ich żale. Dlaczego one do mnie nie zadzwonią. Skoro telefon milczy, najwyraźniej nie mają żadnych pilnych potrzeb. Wierciłam się w łóżku, sen dalej nie przychodził, byłam zdenerwowana.

Zaspokajanie kaprysów córek jeszcze ujdzie. Gdy Bianca i Marta miały po kilkanaście lat, setki razy prosiły mnie – na zmianę, a o to czyja kolej, toczyły krwawe boje – żebym zostawiła im wolne mieszkanie. Przeżywały erotyczne doświadczenia, a ja im w tym nie przeszkadzałam. Byłam przekonania, że lepiej w domu niż w samochodzie, na jakiejś ciemnej ulicy, na skwerze, pośród tysiąca niewygód, narażone na liczne niebezpieczeństwa. Dlatego ze zrezygnowaniem udawałam się albo do biblioteki, albo do kina, albo na noc do przyjaciółki. Ale Nina? Nina to dziewczyna z plaży, splot spojrzeń i kilku słów, ofiara – razem z córką – mojego nieprzemyślanego gestu. Dlaczego miałabym użyczyć jej mieszkania, co jej przyszło do głowy?

Wstałam, pokręciłam się po domu, wyszłam na balkon. Noc rozbrzmiewała jeszcze dźwiękami zabawy. Nagle poczułam wyraźnie, że mnie i tę dziewczynę coś łączy: wcale się nie znałyśmy, a mimo to więź stawała się coraz silniejsza. Może chciała, żebym jej odmówiła, żeby sama sobie mogła odmówić niebezpiecznego antidotum na złe samopoczucie. Albo żebym właśnie dała klucze, żeby poczuła się uprawomocniona do podjęcia ryzykownej ucieczki, do wejścia na drogę ku innej przyszłości niż ta z góry zapisana. W każdym razie pragnęła, żebym oddała jej do dyspozycji swoje doświadczenie, mądrość, buntowniczą siłę, którą mi przypisywała. Żądała, żebym zatroszczyła się o nią, pilnowała jej i wspierała ją w decyzjach, do których ją pchnę zarówno wtedy, gdy dam jej klucze, jak i wtedy, gdy odmówię. Kiedy wreszcie morze i miasteczko ucichły, doszłam do wniosku, że nie chodzi tu o kilka godzin miłości z Ginem w moim mieszkaniu, lecz o to, żebym wzięła za nią odpowiedzialność, zajęła się jej życiem. Ponieważ

215

latarnia w określonych odstępach czasu zalewała balkon nieznośnym światłem, wstałam i weszłam do środka.

W kuchni zjadłam winogrona. Nani leżała na stole. Wyglądała na czystszą i nowszą, ale miała nieodgadnioną minę, *tohu-bohu*, pozbawioną światła płynącego z porządku, z prawdy. Kiedy na mnie padł wybór Niny, tam, na plaży? Jak to się stało, że weszłam do jej życia? Wepchnięta i wkręcona, bezwzględnie. Przypisałam jej rolę doskonałej matki, udanej córki i jednocześnie skomplikowałam życie, zabierając Elenie lalkę. Sprawiłam na niej wrażenie kobiety wolnej, niezależnej, kulturalnej, odważnej, pozbawionej ciemnych stron, ale na jej wyrażające zatroskanie pytania odpowiadałam powściągliwie. Z jakiej racji, po co? Nasze kontakty były powierzchowne, jej groziło o wiele więcej niż mnie dwadzieścia lat temu. Już jako młoda dziewczyna obdarzona byłam silnym poczuciem własnej wartości, byłam ambitna, rodzinę opuściłam z taką samą bezczelną siłą, z jaką porzucamy kogoś, kto nas tłamsi. Męża i córki zostawiłam w chwili, kiedy byłam przekonana, iż mam do tego prawo, że racja leży po mojej stronie, na dodatek Gianni, choć rozpaczał, nie prześladował mnie, to mężczyzna uważny na potrzeby innych. Przez trzy lata, kiedy żyłam bez córek, nigdy nie byłam sama, miałam u boku Hardy'ego, człowieka wybitnego, kochającego. Czułam też wsparcie ze strony przyjaciół, którzy nawet jeśli mnie krytykowali, obracali się w tych samych kręgach co ja, rozumieli moje ambicje i kłopoty. Kiedy ciężar w głębi brzucha stał się nie do zniesienia i wróciłam do Bianki i Marty, kilka osób wycofało się po cichu z mojego życia, jakieś drzwi zamknęły się na zawsze, mój były mąż postanowił, że teraz jego kolej na ucieczkę, i wyjechał do Kanady, ale nikt mnie nie odrzucił i nie napiętnował. Nina natomiast pozbawiona jest zabezpieczenia, które ja sobie stworzyłam przed zerwaniem. Na dodatek świat wcale nie stał się lepszy, jest wręcz gorszy dla kobiet. Sama mi powiedziała, że za o wiele mniej rzeczy, które ja zrobiłam lata temu, może stracić głowę.

Zaniosłam lalkę do sypialni. Posadziłam ją na łóżku tak, jak kiedyś robiło się w niektórych domach na południu Włoch, opartą o poduszkę, z podniesionymi rękami, i położyłam się obok. Na myśl przyszła mi Brenda, Angielka, którą widziałam zaledwie kilka godzin w Kalabrii, i nagle zrozumiałam, że Nina chce mi narzucić taką rolę, jaką ja narzuciłam tamtej dziewczynie. Brenda pojawiła się na autostradzie do Reggio Calabrii, a ja przypisałam jej moc, którą sama chciałam posiąść. Może to wyczuła i dlatego pomogła mi odrobinę na odległość, mnie jednak zostawiając odpowiedzialność za dalsze życie. Mogłam zrobić to samo. Zgasiłam światło.

25.

Zbudziłam się późno, zjadłam, zrezygnowałam z wyjazdu nad morze. Była niedziela, a ja nie miałam miłego wspomnienia z poprzedniej. Rozłożyłam się na balkonie z książkami i zeszytami.

To, czym się teraz zajmowałam, wystarczająco mnie zadowalało. Życie akademickie nigdy nie było łatwe, ale ostatnimi czasy – rzecz jasna z mojej winy: z biegiem lat pogorszył mi się charakter, stałam się przewrażliwiona, czasami wybuchowa – sprawy dodatkowo się skomplikowały, koniecznie musiałam wziąć się do systematycznych badań. Godziny mijały na skupieniu. Pracowałam tak długo, jak długo było światło, borykając się tylko z wilgotnym upałem i przypadkowymi osami.

Kiedy zadzwonił telefon, dobiegała północ, a ja oglądałam film w telewizji. Rozpoznałam numer Niny, odebrałam. Zapytała jednym tchem, czy może do mnie przyjść nazajutrz rano, o dziesiątej. Podałam jej adres, wyłączyłam telewizor i poszłam do łóżka.

Następnego dnia wyszłam z domu wcześnie, chciałam znaleźć kogoś, kto mi dorobi klucze. Do domu wróciłam pięć minut przed dziesiątą, telefon zadzwonił, kiedy byłam jeszcze na schodach. Nina powiedziała, że nie da rady teraz przyjść, ma nadzieję, że zdoła wpaść o szóstej.

Pomyślałam, że już postanowiła, nie przyjdzie. Przygotowałam torbę plażową, ale zrezygnowałam z wyjazdu. Nie miałam ochoty oglądać Gina, drażnili mnie też rozpieszczeni i agresywni chłopcy od neapolitańczyków. Wzięłam prysznic, włożyłam dwuczęściowy strój kąpielowy i położyłam się na balkonie.

Dzień mijał powoli na prysznicach, opalaniu się, owocach, pracy. Co jakiś czas przypominała mi się Nina, spoglądałam na zegarek. Wszystko jej utrudniłam, kiedy powiedziałam, że chcę się z nią widzieć. Na początku liczyła pewnie, że przekażę klucze Ginowi i z nim umówię się na konkretny dzień i godzinę, o której wyjdę z mieszkania. Ale ponieważ zażądałam rozmowy twarzą w twarz, zaczęła się wahać. Przypuszczałam, że nie zbierze się na odwagę, by osobiście mnie poprosić o współudział.

Tymczasem o piątej, kiedy w stroju kąpielowym i z mokrymi włosami opalałam się jeszcze na balkonie, rozległ się dzwonek domofonu. To była ona. Otworzyłam, poczekałam w progu, aż wejdzie. Pojawiła się w swoim nowym kapeluszu, cała zdyszana. Powiedziałam: wejdź, leżałam na balkonie, już się ubieram. Energicznie zaprotestowała. Zostawiła Elenę z Rosarią pod pretekstem, że musi iść do apteki po krople do nosa dla dziecka. Ciężko jej się oddycha, powiedziała, cały czas siedzi w wodzie i się przeziębiła. Widziałam, że jest niespokojna.

— Usiądź na chwilę.

Uwolniła kapelusz od szpili, jedno i drugie położyła na stoliku w salonie, a ja, patrząc na czarny bursztyn, na długi błyszczący szpikulec, pomyślałam, że włożyła kapelusz tylko po to, żeby mi pokazać, iż używa prezentu ode mnie.

— Pięknie tu — rzuciła.

— Naprawdę chcesz klucze?

— Jeśli ci to nie przeszkadza.

Usiadłyśmy na kanapie. Powiedziałam, że jestem zaskoczona, przypomniałam jej łagodnie, że sama twierdziła, iż dobrze jej z mężem i że Gino to tylko rozrywka. Była zażenowana, potwierdziła wszystko. Uśmiechnęłam się.

– O co więc chodzi?

– Już nie daję rady.

Spojrzałam jej prosto w oczy, nie spuściła wzroku, powiedziałam: dobrze więc. Wzięłam klucze z torebki, położyłam na stoliku obok szpili i kapelusza.

Popatrzyła na nie, ale nie wyglądała na uszczęśliwioną. Zapytała:

– Co ty sobie o mnie myślisz?

Odparłam tonem, który zazwyczaj stosuję wobec moich studentek.

– Myślę, że niepotrzebnie ryzykujesz. Powinnaś wrócić na studia, Nino, obronić się i znaleźć pracę.

Na jej twarzy pojawił się grymas niezadowolenia.

– Ja nic nie wiem i nic nie umiem. Zaszłam w ciążę, urodziłam córkę, ale nie wiem nawet, jaka jestem w środku. Jedyne, czego naprawdę pragnę, to uciec.

Westchnęłam.

— Rób, co czujesz.

— Pomożesz mi?

— Właśnie to robię.

— Gdzie mieszkasz?

— We Florencji.

Roześmiała się jak zwykle nerwowo.

— Odwiedzę cię.

— Dam ci adres.

Sięgnęła po klucze, ja wstałam i powiedziałam:

— Poczekaj, muszę dać ci coś jeszcze.

Popatrzyła na mnie pytająco, z uśmiechem, pewnie myślała, że mam dla niej kolejny prezent. Poszłam do sypialni, wzięłam Nani. Gdy wróciłam, bawiła się kluczami, z lekkim uśmiechem na ustach. Podniosła wzrok, uśmiech zniknł. Wyszeptała oszołomiona:

— Ty ją wzięłaś.

Przytaknęłam, wtedy ona skoczyła na nogi, rzuciła klucze na stół, jakby parzyły, i wymamrotała:

— Dlaczego?

— Nie wiem.

Nagle podniosła głos:

— Czytasz, piszesz całymi dniami i nie wiesz dlaczego?

— Nie.

Pokręciła głową z niedowierzaniem, znowu mówiła cicho:

— Ty ją miałaś. Trzymałaś u siebie, gdy ja wychodziłam z siebie. Moja córka płakała, myślałam, że zwariuję, a ty nic, patrzyłaś i nawet nie drgnęłaś, nic nie zrobiłaś.

— Jestem wyrodną matką – rzuciłam.

Przyznała mi rację, tak, zawołała, jesteś wyrodną matką, brutalnie wyrwała mi lalkę z rąk, krzyknęła do siebie w dialekcie: idę stąd, a do mnie po włosku: nie chcę cię więcej widzieć, niczego od ciebie nie chcę, i ruszyła w stronę drzwi.

Rozłożyłam ręce, powiedziałam:

— Nina, weź klucze, dziś wieczorem wyjeżdżam, mieszkanie będzie stało puste do końca miesiąca – i odwróciłam się do okna, nie mogłam patrzeć, jak miota się w gniewie, mruknęłam cicho: – Przykro mi.

Nie dobiegło do mnie żadne trzaśnięcie drzwiami. Przez chwilę myślałam, że jednak postanowiła wziąć klucze, potem usłyszałam ją za plecami, syczała w dialekcie potworne obelgi, jak moja babka, jak moja matka. Już miałam się obrócić, kiedy w lewym boku poczułam ukłucie, krótkie jak poparzenie. Opuściłam wzrok i zobaczyłam, że pod żebrami z ciała wystaje ostrze szpili. Trwało to zaledwie ułamek sekundy, dopóki nie przebrzmiał głos Niny, jej ciepły oddech, potem ostrze zniknęło. Dziewczyna rzuciła szpilę na podłogę, nie wzięła kapelusza, nie wzięła kluczy. Uciekła z lalką, zamknąwszy za sobą drzwi.

Oparłam rękę na szybie, spojrzałam na bok, na małą nieruchomą kroplę krwi na skórze. Czułam chłód i bałam się. Czekałam na to, co się ze mną stanie, ale nic się nie stało. Kropla ściemniała, zakrzepła, a wrażenie, jakby boleśnie przeszył mnie ogień, minęło.

Usiadłam ostrożnie na kanapie. Może szpila przeszła przez bok tak, jak miecz przechodzi przez ciało sufickiego ascety, nie powodując żadnych szkód. Spojrzałam na kapelusz leżący na stole, na zakrzepniętą krew na skórze. Pociemniało, wstałam i włączyłam światło. Zaczęłam się pakować, powoli, jak ciężko chora. Kiedy walizki były już gotowe, ubrałam się, włożyłam sandały, poprawiłam włosy. Wtedy zadzwonił telefon komórkowy. Na wyświetlaczu zobaczyłam imię Marty, poczułam wielką radość, odebrałam. Ona i Bianca jednym głosem, jakby

przygotowały sobie to zdanie i teraz je recyto-
wały, przesadnie naśladując mój neapolitański
akcent, wrzasnęły wesoło do słuchawki:

— Mamo, co porabiasz? Czemu nie dzwo-
nisz? Powiesz nam przynajmniej, czy żyjesz, czy
już umarłaś?

Wymamrotałam ze wzruszeniem:

— Umarłam, ale mam się dobrze.

Polecamy nowe wydanie
cyklu „Genialna przyjaciółka"

tom 1

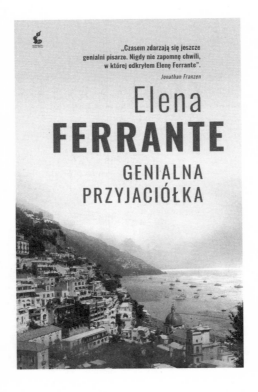

„Czasem zdarzają się jeszcze
genialni pisarze. Nigdy nie zapomnę chwili,
w której odkryłem Elenę Ferrante".
Jonathan Franzen

Elena
FERRANTE
GENIALNA
PRZYJACIÓŁKA

tom 2

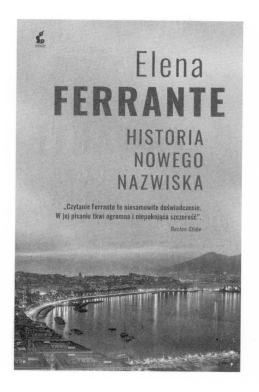

Elena
FERRANTE

HISTORIA
NOWEGO
NAZWISKA

„Czytanie Ferrante to niesamowite doświadczenie.
W jej pisaniu tkwi ogromna i niepokojąca szczerość".
Boston Globe

tom 3

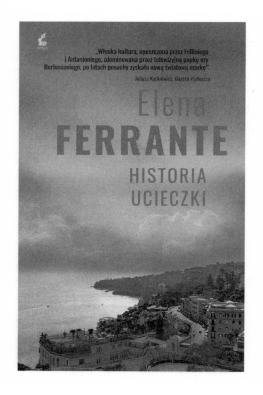

„Włoska kultura, opuszczona przez Felliniego
i Antonioniego, zdominowana przez telewizyjną papkę ery
Berlusconiego, po latach posuchy zyskała nową światową markę".
Juliusz Kurkiewicz, *Gazeta Wyborcza*

Elena
FERRANTE
HISTORIA
UCIECZKI